小説 弱虫《よわむし》ペダル

4

原作
渡辺航
ノベライズ
輔老心

岩崎書店

弱虫ペダル④ 目次

登場人物《とうじょうじんぶつ》

今泉俊輔《いまいずみしゅんすけ》

自転車競技《きょうぎ》に命をかける、毎日ストイックに走り続ける高校一年生。中学時代は県内《けんない》でも有名なレーサーだった。坂道の走りに関心《かんしん》を持っている。

小野田坂道《おのださかみち》

ママチャリで往復《おうふく》九十キロの秋葉原《あきはばら》への道のりを毎週欠《か》かさず通う高校一年生。自転車に自分の可能性《かのうせい》があるなら、と千葉県《ちばけん》一強い自転車競技部《きょうぎぶ》に入部する。

鳴子章吉《なるこしょうきち》

自転車と友だちを大事にする関西《かんさい》出身のレーサー。浪速《なにわ》のスピードマンの異《い》名《みょう》を持つ高校一年生。坂道のよきアドバイザーでもある。

総北《そうほく》高校自転車競技部《きょうぎぶ》

三年生

主将《しゅしょう》・金城《きんじょう》

田所《たどころ》

巻島《まきしま》

二年生

手嶋《てしま》

青八木《あおやぎ》

箱根学園《はこねがくえん》自転車部

主将《しゅしょう》・福富《ふくとみ》

真波山岳《まなみさんがく》

箱根《はこね》の山道で坂道と出会う。箱根学園《はこねがくえん》の一年生。笑顔《えがお》で坂を登るほど坂が好き。

前回までのあらすじ

夏のインターハイで優勝《ゆうしょう》を目指す千葉県《ちばけん》代表・総北《そうほく》高校自転車競技部《きょうぎぶ》。その出場メンバーを決める四日間の合宿では、「千キロ」の距離《きょり》を走ることがメンバー選考《せんこう》の最低条件《さいていじょうけん》。一年生ルーキーの今泉俊輔《いまいずみしゅんすけ》、鳴子《なるこ》章吉《しょうきち》、小野田坂道《おのださかみち》は、わざと走りにくく改造《かいぞう》された自転車をあたえられて苦戦《くせん》するが、完走《かんそう》を目指して激走《げきそう》していた。

最初《さいしょ》は「インターハイなんて初心者《しょしんしゃ》の自分には関係《かんけい》ない」と思っていた坂道も、ライバル校である箱根学園《はこねがくえん》の真波山岳《まなみさんがく》と出会い、「インターハイでいっしょに走ろう」と言われたことから、「自分にもできるなら、ためしてみたい」と意欲《いよく》を燃《も》やす。

そんな中、合宿三日目。今泉と鳴子は先を走っている二年生の先輩《せんぱい》にとうとう追いついた。「パーマ先輩《せんぱい》」こと手嶋純太《てしまじゅんた》と「無口《むくち》センパイ」こと青八木一《あおやぎはじめ》だ。一年生のとき、メンバーに選《えら》ばれなかったかれらは「必《ひっ》」と「勝《しょう》」の手ぶくろをつけた「チーム二人」を組んで、うでをみがいてきたのだ。

この二年生の二人と一年生の三人の五人で、残《のこ》り三人のインターハイの選手枠《せんしゅわく》を目指すが、山間コースの暗やみの中でくりひろげられるデッドヒートはすさまじく、手嶋の天才的《てんさいてき》ブロックにじゃまされて、一年の三人は突破口《とっぱこう》を見出せない。しかし最後《さいご》、坂道の必死《ひっし》のハイケイデンス走法《そうほう》により、手嶋の「かべ」にあなを開けた。

一年は手嶋をぬいて、「にげ」をかました青八木を追う——。

三人の選手枠はだれの手に?

本書は、秋田書店刊の『弱虫ペダル』をもとに小説化したものです。文章化するにあたり、台詞など一部改めています。

第一章　攻防《こうぼう》

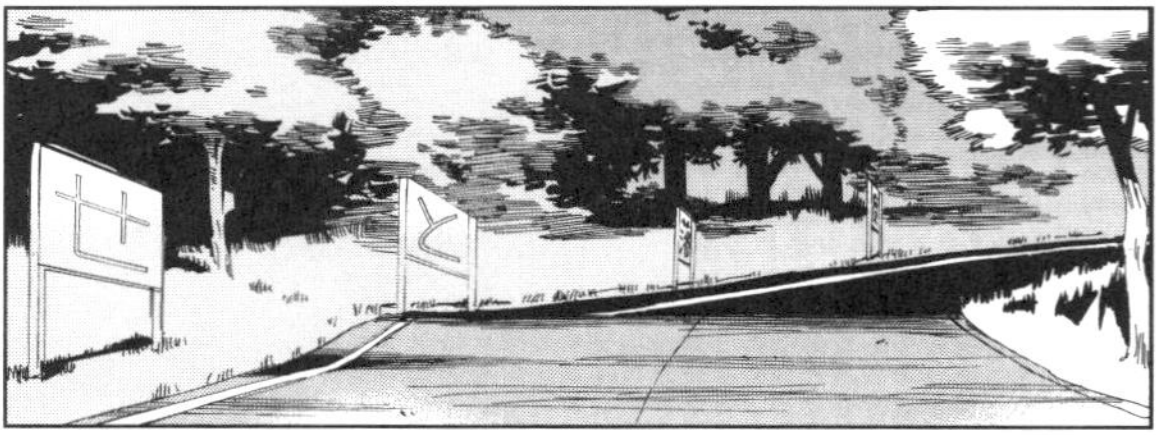

二年生 VS 一年生

あれだけやかましくないていたセミの声が、ピタリとやんでいる。

静岡県《しずおかけん》のサイクルスポーツセンター。

四日間で千キロの完走《かんそう》を目指す、総北《そうほく》高校自転車競技部《きょうぎぶ》の〝じごくの夏合宿〟の三日目は夜をむかえていた。

あたりはまっ暗──────。

※ホームストレート地点に、主将《しゅしょう》の金城真護《きんじょうしんご》が「追いこし禁止《きんし》」と書かれたボードを置《お》いた。夏の日差しをたっぷりうけたアスファルトはまだ、モヤッと温かかった。

※ホームストレート…スタート・ゴールラインがある直線コース

「おっ、出したのか、追い禁ボード」

走り終えた田所迅《たどころじん》がホームストレートにもどってきて、金城に話しかけた。

「ああ。陽《ひ》が落ちた。ここからは暗やみだ。もうあぶないからな。ここをこえたら、全員、きょうは追いこし禁止だ」

そう答えた金城に、田所は重々しい声で言った。

「ってことは……ここのラインで、一年と二年の戦《たたか》いも決着だな。あいつらも、追いこし禁止の時間になることはわかっているだろう。それまでにとったポジションが勝負を分ける。二年がきっちり引きはなすか、一年がいきおいで追いぬくか。この周回《しゅうかい》の最後のストレートが、今年のインターハイメンバーを決めるゴールになるだろうぜ」

一年とは、今年の春に入部したばかりのゴールデンルーキー、今泉俊輔《いまいずみしゅんすけ》と鳴子章吉《なるこしょうきち》。そして、まったくの初心者だが、上り坂だけはやたらと速い小野田坂道《おのださかみち》の三人のことだ。

そして、二年とは昨年《さくねん》のインターハイではメンバーに選《えら》ばれずにくやしい思いをした二人、〝パーマ先輩《せんぱい》〟というあだ名の手嶋純太《てしまじゅんた》と、みごとなコンビを組む〝無口《むくち》センパイ〟こと青八木一《あおやぎはじめ》のことだ。

今、この暗やみの中で、一年生対二年生の〝ぜったいに負けられない〟戦《たたか》いが火花を散《ち》らしている。

インターハイ出場メンバーは六人。三年の金城《きんじょう》、田所、そしてクライマーの巻島裕介《まきしまゆうすけ》の三人はメンバーに決まっているから、残《のこ》り三つの座《ざ》をこの五人でうばいあうのだ。

金城と田所は、この五人が今、山間区間のコースでどうしているかを思いうかべていた。

田所が口を開いた。

「金城よ。どっちが先に、ここに入ってくると思う？」

金城はすぐに答えた。

「運のあるほうだ……おまえの予想《よそう》は？」

「ガハハハハハ、決まってる。二年だ。手嶋と青八木はオレがきたえたんだからな」

田所は話を続《つづ》けた。

「あいつらは、この一年間で信じられないほどの進化をとげた。インターハイに出るという目標《もくひょう》を持ってな。

呼吸《こきゅう》と体動《たいどう》を二人で完全《かんぜん》にあわせて、これ以上《いじょう》、くっつけないというところまで接近《せっきん》して、極限《きょくげん》まで空気抵抗《ていこう》をけずる走りをあみ出したんだ。あれは、あいつらにしかできねぇ技《わざ》だ。合体することで、一人分の空気抵抗で二人分の足の力になる。

名づけて、〝同調直列走法《どうちょうちょくれつそうほう》（シンクロストレートツイン）〟。あれは速いぞ!!!」

田所はこの二人が勝つ理由を続《つづ》けた。

「あれはいつだったかなあ？　ほかの二年がつぎつぎと脱落《だつらく》していく中、あの二人はオレに食《く》らいついてきたんだ。もっと速くなりたい、もっと指導《しどう》してくださいって。目がしんけんだった。

なにより根性《こんじょう》があった。あいつらはオレが作ったメニューをこなし、泣《な》きごとを言わずについてきた。

金城《きんじょう》よ……実力がほとんど同じときに、最後《さいご》に勝敗《しょうはい》を分けるのはなんだと思う？」

金城は田所の迫力《はくりょく》におされていた。

田所は自信たっぷりに言いはなった。

「それは意志《いし》だ。意志、根性!!　ゴールをねらう気持ちの強さだ!!!」

ゴール前は、あらしの前の静《しず》けさ。

木々の葉がそよぐ音が聞こえる。夜風がほおにすずしい。

そのころ――。

二年の追撃《ついげき》

ガァ――。

チェーンが回り、タイヤの音だけが山にひびいている。

一年と二年の戦《たたか》いは夜にもつれこんだ。

見通しが悪い。コースわきの、ところどころにポツンと街灯《がいとう》があるだけだ。


「来たぞ、うしろから！」

ふり返った今泉《いまいずみ》が、鳴子《なるこ》と坂道に声をかけた。

「回すぞ、ゴールまで。二年はまだ、あきらめてない！」と鳴子も声をあげた。

とにかく、かんをたよりに、ペダルをふむしかない。
今泉、鳴子、坂道の三人の一年生トリオは、ひとかたまりになって風を切っている。
このまま、なんとか三人でホームストレートへ！
それには、目の前の坂をひたすら登るしかない。

手嶋《てしま》のたくみなブロックにずっと苦しめられ、もうこれまでかと大ピンチだった一年だっ

たが、坂道の決死の突破《とっぱ》で手嶋をぶちぬいた。

一方、坂道にぬかれて、いったんは心がおれかけた手嶋だったが、先行していた青八木《あおやぎ》が追いついてきて、二年生二人はふたたびいっしょに走り出した。

〝チーム二人〟は闇夜《やみよ》の龍《りゅう》となって、地をはい、一年生を追っている。

ハァッ　ハァッ　ハァッ　ハァッ

一年生トリオの中では、坂道があきらかにへたばっている。

それを見た鳴子が「小野田くん、ワイのうしろに入れ！」とさけんだ。

坂道が、さっきの二年生突破で体力を使い、つかれきっている。このままだと坂道がのみこまれてしまうと思った。

「小野田くん、すぐ頂上《ちょうじょう》や、ふんばれ！」

「うぁあああああ」

坂道はほえながら鳴子《なるこ》のまうしろ、後輪《こうりん》と前輪《ぜんりん》がひっつきそうなポジションに入った。

前に秋葉原《あきはばら》で、二人して自動車を追いかけたときのフォーメーションだ。前にいる鳴子が風よけになって、うしろにいる坂道を引き、楽をさせる。あの経験《けいけん》が、今、生きる。

「休むな小野田くん、頂上《ちょうじょう》をこえたら……あとは……下りだ!!!楽になるから!!!」と、鳴子がはげました。

ハァッ　ハァッ　ハァッ　ハァッ　ハァッ　ハァッ
ジャカジャカジャカジャカジャカ

坂道は必死《ひっし》にペダルを回しているが、かなり、きつそうだと鳴子は心配して言った。

「それにしてもなんやねん、この二年の追い上げ。これはもう本番レースなみやろ!」

「小野田、休むな、小野田、ここから先、二年はもっと加速《かそく》してくるぞ！」

つかれている坂道を、今泉《いまいずみ》がはげました。

少し行くと、鳴子がさけびながら、坂道の背中《せなか》に手をあてた。

「よし！　上り坂が終わった、ここからは下りだ‼」

三人は頂上をこえた。

しかし、そのとき、三人が坂の頂上から見た風景《ふうけい》は、想像《そうぞう》をぜっするものだった。

あたり一面、まっ暗なのだ！　街灯《がいとう》がない。

坂道は血の気が引いた。なにも見えない。

「カッカッカッカ、最悪《さいあく》やで」

強がるように言う鳴子の声が、やみの中から聞こえた。

「ゴールラインまで、あと七百メートル……暗やみで視界《しかい》ゼロの中、全力加速《かそく》。どう考えても、追いかけるほうが何倍も有利《ゆうり》やなあ。前の自転車のライトが見えるからな」

そこで今泉《いまいずみ》が口を開いた。

「こわいか、鳴子《なるこ》」

「ぬかせ……!!　ギリギリ勝負に、アドレナリンの大量出血《たいりょうしゅっけつ》大サービスや!!!」

「ほう、めずらしいな。ひさしぶりに意見があった」

そう言うやいなや、

「足は止めるなよ、小野田!」

そうさけんで、まっ先にどろのようなやみの中に、今泉はつっこんでいった。

「しっかりついてこいよ、小野田くん」と鳴子が続《つづ》いた。

「うあああああああああああ」

坂道もさけびながら、坂を下りはじめた。
運を天にまかすしかない、ジェットコースターのようだ。スピードがどんどん上がる。
風の音が耳元でゴォと大きく鳴《な》る。
速い!!
こわい!!!
坂道はひるんだ。
ほとんどなにも見えないじゃないか。
合宿でこの道は走りなれているはず
なのに、暗いとまるでべつの道みたいだ。

なのに……二人とも信じられないくらいに速い!!
「残《のこ》り三百五十メートル!!」
今の居場所《いばしょ》をたしかめるように、鳴子がさけんだ。

三百五十！　半分、来た‼　だいぶ引きはなしたか？

おそるおそる坂道はふり向いてみた。
前も、うしろも暗やみだ。

チカッ…………チカッ
なんと、暗やみの中に、
野犬《やけん》の目が光るように、自転車のライトが二つ！
坂道は背《せ》すじがぞくっとした。

二年が来てる！　これだけ速く走っているのに!!!
これ以上《いじょう》、引きはなせない!!!

うしろから追いかけてくる二年は、ピッタリと重なったままコーナーにつっこんできた！
同調直列走法《どうちょうちょくれつそうほう》（シンクロストレートツイン）!!?

「どけ、一年……インターハイはゆずらねェ!!」

ふたたび闘志《とうし》を燃《も》やす手嶋《てしま》の声が聞こえた。

「負けるわけにはいかねぇ。オレには田所さんに教えてもらった最後《さいご》の言葉がある」

手嶋は田所の教えを思い出していた。

「ゴール前ってのは、体力を使いはたしているから最後は気力だ。ごちゃごちゃ考えていたらぬかれちまう。いいか、考えることは一つだ。

ゴールをねらえ!!」

この下り坂をぶっとばして、あとは最終《さいしゅう》コーナーを大きく左にまがりこんだら、最後の直線。そしてゴールライン。追いこしができるのはそこまでだ。

小野田を置《お》いていく

追いつかれる……追いつかれる……ダメだ……がんばれ、ボクの足!!!

もうれつなスピードで暗やみを下っていく坂道。
いつ、二年生に追いつかれてしまうのか!
恐怖《きょうふ》がしのびよってきた。

あと二百五十だ、とにかく鳴子《なるこ》くんについていくんだ!

バン!?

そのとき坂道の自転車に、衝撃《しょうげき》があった。
自転車の前輪《ぜんりん》が、道路の舗装《ほそう》のつぎ目に引っかかったのだ。

とっととっ、あぶない！

暗やみで段差《だんさ》に気がつかず、いっしゅん、自転車ごとはね上がったが、坂道はなんとかこけずに車体をコントロールして、体勢《たいせい》を立て直した。

「ひゃー、あぶないところだった。なんとか持ち直…………あああああああ!!!」

「どけ、ジャマだ、小野田!!」

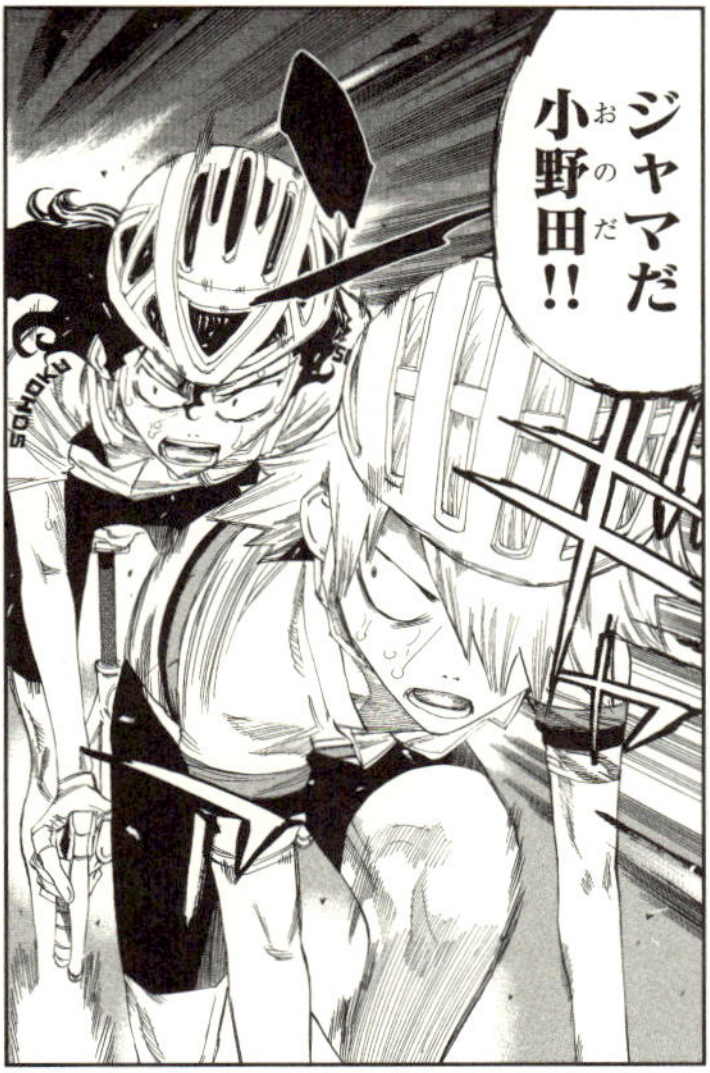

そのすきに青八木《あおやぎ》と手嶋《てしま》が坂道の真横にズバッとならんだ。

な　ら　ば　れ　た　!!

そして――

うあああああああああああああ!!!

坂道のぜっきょうむなしく、二年生の二台が坂道をぬき去っていった。

坂道は必死《ひっし》にペダルを回したが、ぜんぜん、追いつけなかった。

坂道の悲鳴《ひめい》を聞いた鳴子《なるこ》がふり返った。

「小野田くん!!　残《のこ》り二百メートルで、小野田くんが二年の先輩《せんぱい》にぬかれた!」

鳴子は反射的《はんしゃてき》にブレーキレバーに手をかけた。

坂道のところへ行ってやりたかったのだ。

「やめとけ」

その仕草《しぐさ》に気づいた今泉《いまいずみ》が冷静《れいせい》に制《せい》した。

「あいつはチギられた。ただそれだけだ。ほうっておくしかない」

あまりの冷静さに鳴子はおどろいた。

「鳴子、どうしたいんだ。助けに行く気か。坂道のケツを手でおすか？　風よけになって引っぱるか？　それで小野田を連れてきて、前を走ってる二年をもう一度、ぬき返す力があるのか？」

鳴子は奥歯《おくば》をかみしめながら、だまってペダルを回し続《つづ》けている。

「そんなよゆうはないはずだ。いっしゅんのスキがあれば、二年はぬいてくるぞ。オレたちもあの人たちも、もうギリギリなんだ……」

そういう今泉の太ももは、ピクピクとけいれんを始めていた。限界《げんかい》に近い。

「このレースは、脱落《だつらく》せずに最後《さいご》まで残ったほうがゴールラインを制する。残りの距離《きょり》はもうほんのわずか、二百メートルだぞ!!」

「待《ま》て、待て、待て」

鳴子《なるこ》が話をさえぎった。

「それはりくつや！　小野田くんはワイらのために山を全力で登ったんやぞ‼」

　たしかに坂道が死にものぐるいでアタックして手嶋《てしま》をぬかなければ、今、こうして鳴子と今泉《いまいずみ》は前に出ることができなかった。

鳴子はあせでべとべとになった顔で目をカッと見開いた。今泉に言った。

「今、助けに行かんで、いつ行く‼」

今泉は取りあわなかった。

「……だったら……全力でゴールラインまで走ることが、今、オレたちのすべきことだ。
あいつはオレたちをインターハイに行かせるために、犠牲《ぎせい》になってくれたんだからな」

この身もふたもない今泉の言葉に、鳴子はカッとなった。いかりがこみあげた。

「ボケェ、目をさませや。ワイとおまえで二人で行ってケツをおせばなんとかなる。なんとかなるんや。行くぞ、スカシ！　友だちがこまっとる。助けるのは当たり前やろ」

「ここはゴール前だ。戦場《せんじょう》だ。ロードレースに勝者はつねに一人しかいない。あとは全員敗者《はいしゃ》だ!」

なに!
鳴子は言葉を返せない。

今泉の目が、勝負師《しょうぶし》の目になっている。

「三人でなかよく敗退《はいたい》することに、意味はない!!」

「!!! ………ほな、どうすりゃええねん!! 小野田くんを見すてるんか!!」

このすごいピンチに、今泉の冷酷《れいこく》な一面《いちめん》が顔を出した。鳴子は血の気が引いた。

今泉は言った。

「もし、小野田がもう一度、はい上がってくるなら、自分自身の力でだ」

その言葉に、鳴子《なるこ》はハッとおどろいた。

「それができんからワイらが助けてやらんとアカンて、ゆーてんねや」

今泉《いまいずみ》は鳴子の言葉をさえぎった。

「いや。オレはそうは思わない。あいつは来る……かならず」

坂道の追い上げ

暗やみの中で壮絶《そうぜつ》な戦《たたか》いをしている五台の自転車。

今泉と鳴子の二台は、まだ、坂道のことで言いあいながら下り、そのあとを、青八木《あおやぎ》＝手嶋《てしま》が同調直列走法《どうちょうちょくれつそうほう》（シンクロストレートツイン）で追う。

そして、そのうしろに坂道が続《つづ》く。

戦いは、いよいよ最終局面《さいしゅうきょくめん》だ。

「来る……ってなんや。小野田くんの体力は、もうすでに限界《げんかい》やぞ」

鳴子が今泉に問いかけた。

今泉はレースの先の先まで読んでいた。レーシングモードに入ると、ちみつな頭脳《ずのう》がはたらくのだ。

「小野田はかならず回転数を上げてくる。一年生レースのことを思い出してみろ。あいつは最下位《さいかい》まで落ちた。タイム差《さ》も引きはなされた……だが、あきらめなかった。回転数を上げて、オレたちに追いつき、全員を追いぬいたんだ!!!」

そうだった!
鳴子は、坂の途中《とちゅう》で坂道にぬかれたことを思い出した。
「だろ?」
今泉の目はますます冷静《れいせい》さを増《ま》している。

「しかも上り坂に強いだけじゃあ、この芸当《げいとう》はできない。あいつが、ふつうじゃないのは登りだけじゃないのさ」

鳴子《なるこ》は、まだほかに強みがあるのか、という顔をした。

今泉《いまいずみ》は続《つづ》けた。

「〝追い上げ〟だ……。あいつは今、一番うしろにいる！　一見すると小野田がチギられたように見えるが、見方を変えれば、あいつは今、全員のうしろにいるんだ。いいか、小野田は追われるより、追いかけるときのほうがだんぜん速い‼」

そのとき、気配を感じて鳴子はうしろをふり向いた。
野犬の光る眼《まなこ》のようなライトが三つ。
「三つ？　二つじゃなくて三つ！　小野田くんや‼　よっしゃ！　ホンマに自力できよった‼」
鳴子はうれしそうにさけんだ。

「あいつは、一度、はりつくと、食《く》いついてはなれない!!」
坂道の〝しぶとさ〟は、何度も苦しめられた今泉が一番よく知っているのだ。

なんで、坂道がここに!?

一年を追う「チーム二人」。頭脳役《ずのうやく》の手嶋《てしま》は、手ごたえを感じていた。
すでに視界《しかい》には、今泉と鳴子の自転車をとらえている。
この暗やみでは先行者《せんこうしゃ》が不利《ふり》。追いかける自分たちのほうがぜったいに有利《ゆうり》だ。

行くぜ、青八木《あおやぎ》、二人でゴールに!

手嶋は息《いき》をあらげながら、前を追う。
たぶん、青八木も相当《そうとう》につらいだろう。
でも、一年をぬける!

ヤツラはもうぬけそうなところにいる。

ハァッ　ハァッ　ハァッ　ハァッ　ハァッ

足がちぎれそうだ。

心臓《しんぞう》がつぶれそうだ。

だが、そんなもん関係《かんけい》ない‼　ぬく‼　ぜったいに！


あれ？　なんだ？


そのとき、手嶋《てしま》はまうしろに小野田がぴったりはりついていることに気がついた。

「なんだ？　小野田……、なんでそこにいるんだ！」

手嶋がさけんだ。

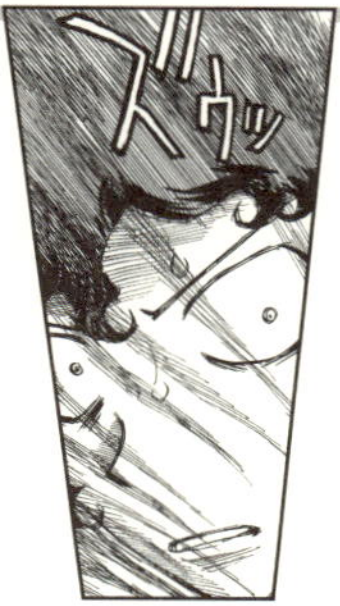

青八木《あおやぎ》＝手嶋の同調直列走法《どうちょうちょくれつそうほう》（シンクロストレートツイン）が、今、なんと青八木＝手嶋＝坂道の三両編成《りょうへんせい》になっている。

「おまえ、さっき、チギっただろ。なんでまたプレッシャーをかけてくるんだ」

手嶋はまるで暗やみの中でゆうれいを見たかのようにおびえた。

坂道は、にっこりとわらっていた。

「わらった？　なんだ、こいつ！　くそおおおおお」

ハァッ　ハァッ　ハァッ　ハァッ　ハァッ　ハァッ

坂道にかまっていられない、と手嶋が指示《しじ》を出した。

「残《のこ》り百八十メートル、よし、引きはなすぞ、青八木！

ペースを上げるぞ！」

と手嶋《てしま》が声をかけたと同時に、青八木《あおやぎ》が小さくさけんだ。

「あ!」

なんだ?

なにが起きたのか?

田所のまなざし

一年と二年の戦《たたか》いを見とどけたい、とホームストレートにいる田所と金城《きんじょう》は、ややきんちょうして、決着のときを待っていた。

「来た」

田所の表情《ひょうじょう》が引きしまった。

山かげにちらりとしか見えなかった明かりが、やがて、チカッ、チカッと見えかくれし始めたのだ。近づいてきている……。
田所がその数をかぞえる。
「一つ、二つ、三台だ……いや、今泉《いまいずみ》、鳴子《なるこ》、手嶋、青八木……小野田、五台全員だ。入ってくるぜ、ホームストレートに!! これで、インターハイのメンバーが決まる!!」

残《のこ》り百七十メートル。

あとは、大きな左カーブをまがれば、最後《さいご》のホームストレートだ。

「ふり向くな。うしろのプレッシャーは無視《むし》だ。今、大事なのは、前だ。ゴールラインのことだけを考えろ。この周回《しゅうかい》で一年との決着をつけるんだ。〝ゴールをねらえ〟だ、田所さんとやくそくしたろ」

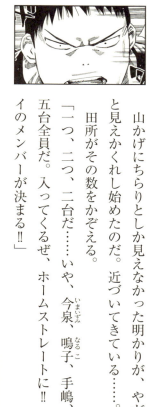

青八木《あおやぎ》は手嶋《てしま》をはげますように言った。

手嶋は走馬灯《そうまとう》のように、あのときのシーンを思い出した。

「インターハイに行きたいです」

手嶋と青八木が、部室《ぶしつ》で田所に想《おも》いを告《つ》げたことがあった。

田所は練習が終わって、シューズをぬごうとしている手を止めて言った。

「なにィ？　『インターハイに行きたいです』だぁ？」

「はい」

「バーーカ」

バカ？　二人は想いを否定《ひてい》された気がした。

田所はゆっくりと話を続《つづ》けた。

「行きたい……じゃねーよ。〝行くんだ〟だろ。

ぜったい、行くんだってくらいの強い気持ちがねェと行けねェよ」

手嶋はハッとした。これが、田所と自分たちの〝差《さ》〟だ。

田所は手を休めずに言った。

「だいじょうぶさ、おめーらはかなり練習しているし、この一年で相当《そうとう》レベルが上がっている。インターハイに行ったら、引っぱってやるよ、オレが」と勇気《ゆうき》をくれた。

「ハイ!!!」

うれしかった。田所は三年だから、今度のインターハイが最後《さいご》になる。

「田所さんといっしょにインターハイに行こう！」と青八木が力強く言った。

手嶋は思いを新《あら》たにし、青八木に宣言《せんげん》した。

「これまで、弱気《よわき》なことを言って、すまねえ青八木！　ゴールをねらう!!」

ラストスパート

五台の自転車がつぎつぎに最後《さいご》の直線《ちょくせん》に入ってくる。最終コーナーをまがれば、泣《な》いてもわらっても、百メートルのホームストレートだ。

ここで勝負が決まる!!

「ここから先はへんな小細工《こざいく》は通用しない。より長く、より多く回したヤツが勝つ!!」

中学時代から数々のレースを経験《けいけん》し、勝利《しょうり》してきた今泉《いまいずみ》。レーサーの本能《ほんのう》に火が入る。ハンドルを下に持ちかえ、ダンシングの体勢《たいせい》に入った。

今泉だけではない、青八木《あおやぎ》も手嶋《てしま》も、下ハン※でダンシングだ。

※下ハン…下ハンドルのこと。190ページで解説

この合宿でフラットバーのハンドルに自転車を改造《かいぞう》された鳴子《なるこ》には下ハンがないから、顔をハンドルに近づけてググッと上半身《じょうはんしん》をしずめた体勢をとった。

全員が、最後の最後、加速《かそく》だ。
ラストスパート！
ゴール前スプリントだ！
経験のない坂道は、みんなよりおくれた。
そして、感じた。
空気が変わった！

みんな加速《かそく》していく！
ボクだけがおくれる。
だめだ、足だけじゃ追いつかない。
うわあああああああ、どうしたら……いいんだ！

坂道はあせった。
どうしたらいいんだ？
今、ボクにはなにができるんだ？

あ、そうだ、下ハンドル‼
坂道は下ハンドルをにぎってみた。
今までにぎったことがなかった。
はじめてギュッとにぎった。すると、自然《しぜん》にしりがういた。

う……‼　地面が近い……前につんのめるみたいだ。

でも、すごい加速だ！

体重が前に乗っかってるせい⁉

風の抵抗《ていこう》が少なくなっているから⁉

わからないけど……すごい力が地面につたわっている感じがする！


「来た来た！」

田所はこうふんがおさまらない。

「うお‼　ホームストレートに最初《さいしょ》に飛《と》びこんできたのは……。五人全員だ‼」

なんと五台が横ならび。ダンシングの共演《きょうえん》で直線《ちょくせん》をすっ飛ばし、ゴールに向かってきた。

「こ、これは……インターハイをかけた、命がけのゴールスプリントだ！」

田所は大声をあげた。鳥肌《とりはだ》がたった。

ジャ――　ジャ――　ジャ――　ジャ――　ジャ――

五台の自転車の車輪《しゃりん》が回る音が重なりあって、はらにひびく。
「残《のこ》り百メートル!!!」

そのとき、ようやく金城《きんじょう》が口を開いた。

「ゴール前のスプリントはマラソンを走り終わったあとに、百メートル走をやるようなものだ。肉体《にくたい》を限界《げんかい》ギリギリまで追いつめて、速度をしぼり出す。レースでは勝利を目指す最後《さいご》のスプリントに加わることすらむずかしい」

田所は金城を見た。

金城はめずらしく感情《かんじょう》をあらわにした。

「ヤツらは強い!!　五人全員だ。それぞれが持っている強い意《い》志《し》と肉体を最大限《さいだいげん》にして走っている!!」

田所は金城のサングラスの奥《おく》の目がギラリと光ったのを見た。

金城の最後の言葉は重かった。

「だが、この中から、確実《かくじつ》に勝者と敗者《はいしゃ》が出る!!」

ついてくんだ

あと百メートル。
今泉《いまいずみ》と手嶋《てしま》がならんだ。
さっきから、かたがバチバチとあたっている。
おたがいをかたでおし返しながらダンシングで
飛《と》ばしているからだ。

「ゴールだ、ゴールだ、ゴールだ!」

手嶋の頭の中にはゴールしかない。

ただただ、前を見つめて無心《むしん》でこぐ。

もう作戦《さくせん》はない。

「こんなところで落ちるわけにはいかない。オレはライバル御堂筋《みどうすじ》をたおすために全国に行くんだ！　ぜったいにだ!!」
今泉《いまいずみ》も一歩も引かず、執念《しゅうねん》を見せる。

「行く！　ゴール!!　ちかったんだ！　これ以上《いじょう》は、ゆずらない」
青八木《あおやぎ》はだれよりも、しりを高く上げてダンシングをする。まるで頭からつっこんでいくかのようだ。

「どけ……どいたれ、どかんかい、スプリントはワイの花道、ここでふまんでどこでふむ」
と、さけびながら、ペダルを回す鳴子《なるこ》の太ももはけいれんしている。そのけいれんを止めるために、鳴子は自分のげんこつで太ももをパンチした。パンチしながらこぐ。

坂道は、頭を下げて目を閉じてペダルを回す。顔中をあせがたきのように流れている。

ついていくんだ
ついていくんだ
ついていくんだ

頭の中には、この七文字がぐるぐると回っている。

今度こそ、はなされない!!
坂道はみんなに食《く》らいついた。

残《のこ》り三十メートル。
自転車が入ってくる。
五台の自転車は、まだ、横にならんでいる。

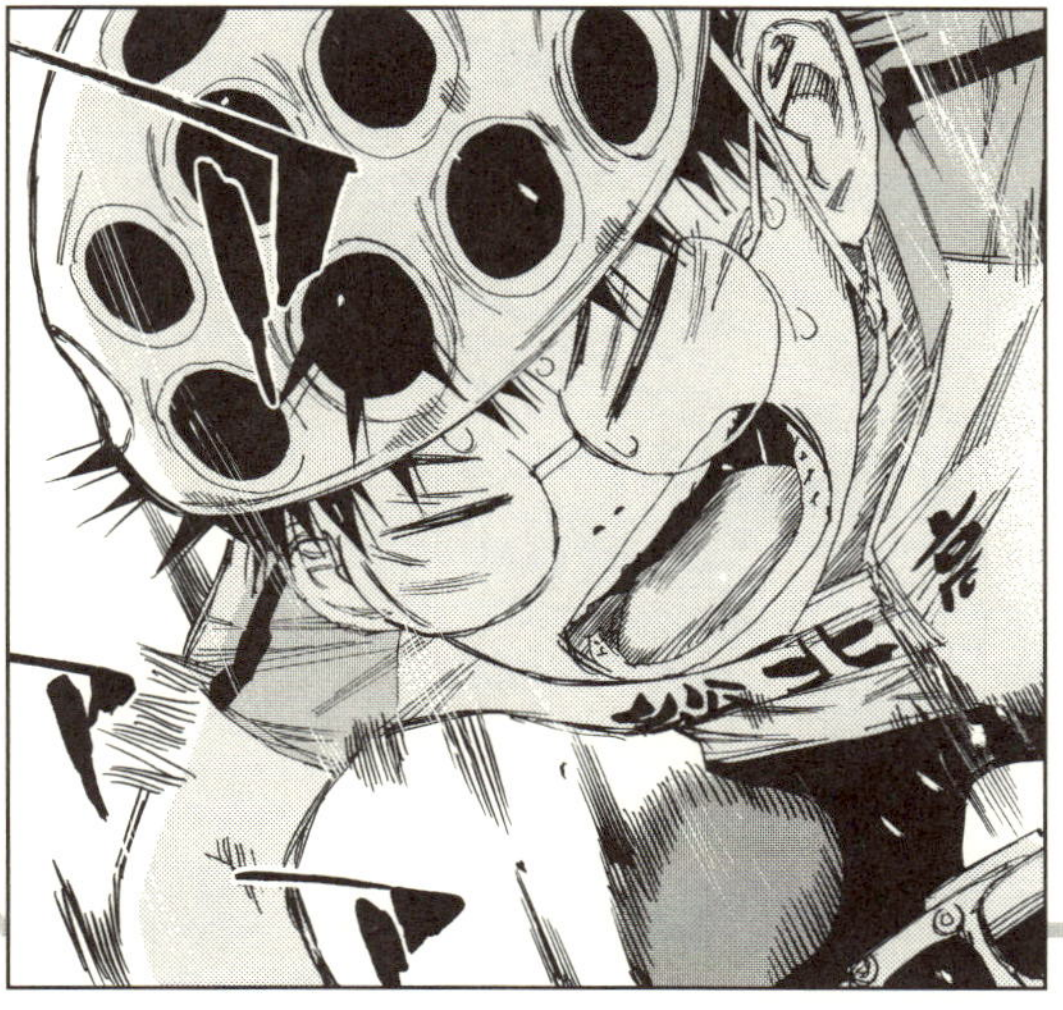

ゴールを見のがさないように田所は目をこらした。
「決まる!!! どっちだ!! 先に入ってくるのは、一年か、二年か!!!」
そのとき金城《きんじょう》が、アッとおどろいた表情《ひょうじょう》をした。
そして、サングラスをはずすと、だれに向かってでもなくつぶやいた。
「レースとは残酷《ざんこく》だな。
どれほど思いが強くても、仲間《なかま》とのきずながあっても、
〝それ〟がかならずゴールにみちびいてくれるわけじゃない。
ゴール前の差《さ》は、いつだってほんのわずかだ。
いっしゅんの判断《はんだん》ミス、肉体《にくたい》の限界《げんかい》……それらが勝者を敗者《はいしゃ》に変える。
ほんのわずか、運にきらわれたせいで、
とどかない〝いただき〟、頂点《ちょうてん》があるんだ」

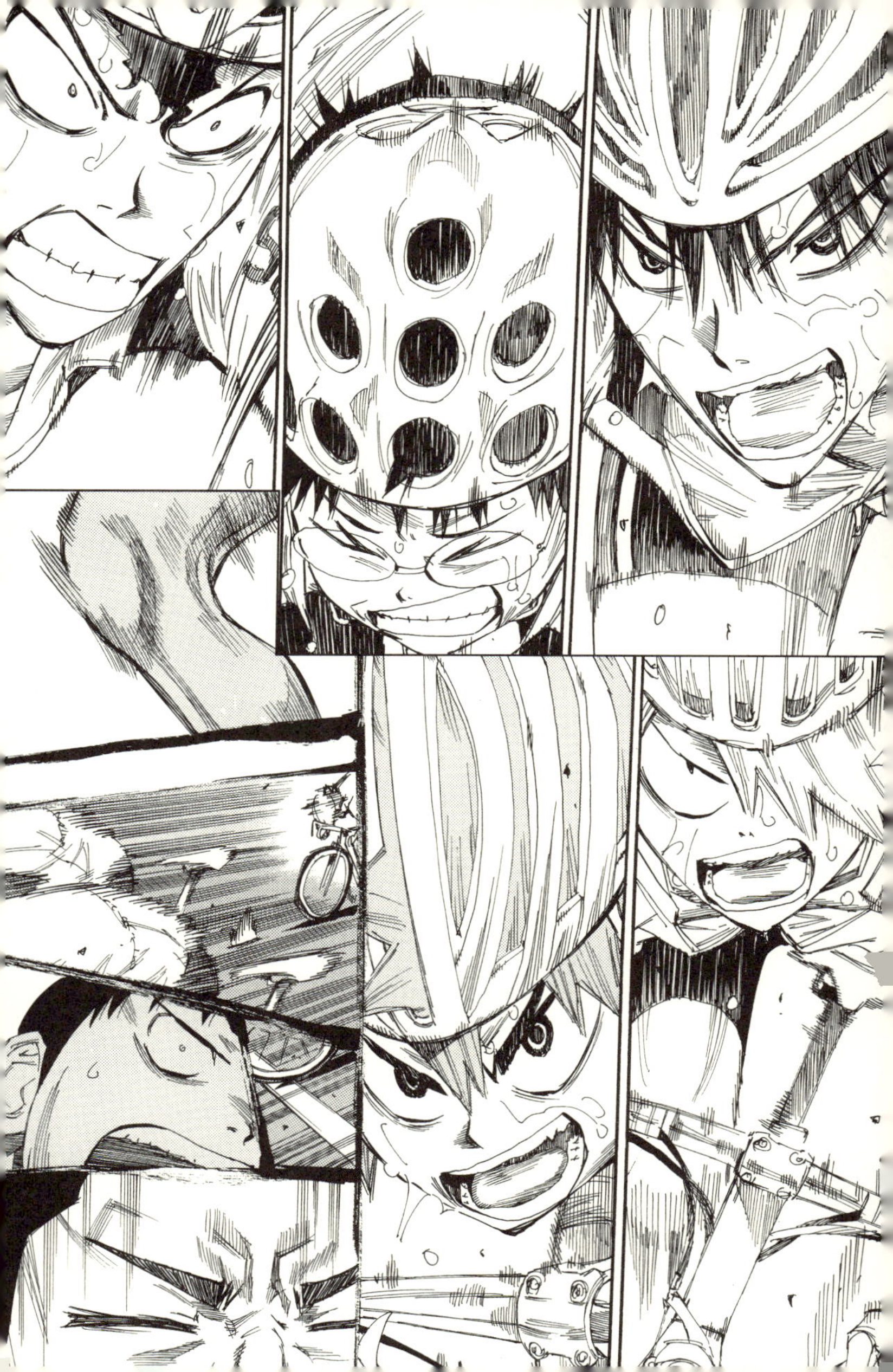

おるぁぁあーーーーーあああーーー!!!
鳴子《なるこ》が両手ではでなガッツポーズをしながら、トップでゴールラインを切った。
ついで、今泉俊輔《いまいずみしゅんすけ》。

……そして、少しおくれて、小野田坂道。
速い……!!　スゴイ……!!　体力ギリギリのはずなのに……。これがゴールスプリント!!
ゴールの直前、二人はべつの乗りものに乗っているかのように加速《かそく》した。
ボクもがんばったら、二人に近づけるんだろうか、と坂道はあっとうされながら、自分もがんばりたい、と思った。

ハァ　ハァ　ハァ　ハァ　ハァ　ハァ　ハァ　ハァ
ハァ　ハァ　ハァ　ハァ　ハァ　ハァ　ハァ　ハァ

手嶋《てしま》と青八木《あおやぎ》は……自転車をたおし、息もたえだえに地面にころがっていた。

足をいためている。

負荷《ふか》をかけ続《つづ》けてきた太ももが、最後《さいご》に悲鳴《ひめい》をあげ、ゴールできなかった。

ゴール前で筋肉《きんにく》がこわれたのだ。


さっき金城《きんじょう》が「アッ」とおどろいたのは目のはじっこで、たおれる自転車が見えたからだ。

「残《のこ》り……五メートルだったのに……」

田所はぼうぜんと立ちつくした。

三年を表彰台《ひょうしょうだい》に

「くそ…っそ……、オレの足、なに、止まってんだよ！

動けよ……。行くんだよ、インターハイに、田所さんといっしょに!」

手嶋《てしま》が泣《な》きさけんだ。

それを見ていた田所が二人をだきよせ、なぐさめの言葉をしぼり出した。

「もう十分だ、手嶋……青八木《あおやぎ》!!
おまえたちはよく戦《たたか》った。
これ以上《いじょう》、走ったら致命傷《ちめいしょう》になる」

「でも、オレたちはインターハイのために準備《じゅんび》して、練習して、戦った。田所さんに教えてもらって、全力で、本気の勝負をした」

と手嶋が泣きじゃくりながらうったえた。

「よく走った。今は休め。二年生のおまえたちには来年の夏がある。来年は……オレはいないからめんどうはみられないけれど……、今のおまえらなら、二人だけでも強くなれる」

「すいません……田所さん‼」

大好きな先輩《せんぱい》といっしょにレースを走るゆめを失って大泣《な》きする手嶋《てしま》と青八木《あおやぎ》を、田所はだきしめた。田所のほおにも、いつしか熱いなみだが流れていた。

その夜、一年の三人は、二人がケガしたことを金城《きんじょう》から聞かされ、医務室《いむしつ》に飛《と》びこんだ。
「先輩！　だいじょうぶですか⁉　合宿、リタイアしたって、ホンマですか？」
と鳴子《なるこ》がたずねると、二人はほうたいでぐるぐるまきになった足を見せながら「肉《にく》ばなれだってさ、これじゃ残《のこ》り二百五十キロはムリだからな」とかたをすぼめて言った。

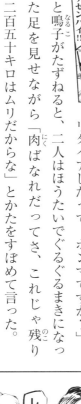

手嶋はさっき終わったばかりのバトルなのに、なつかしそうに言った。

「いやぁ、あの三周《しゅう》は楽しかったぜ。インターハイかけてのガチバトル。どっちもゆずらねェ。最後《さいご》のスプリントなんて真横一列《まよこいちれつ》。アホかって、思ったね……」

そして、坂道を見た。

「あと、小野田もスゴかったな、登り‼　いつまで走るんだよっつーくらいに速くてな。あれは反則《はんそく》だぜ」

力なくわらったが、大きく息《いき》をすると言った。

「いや、やっぱ……本音を言おう。すげーー、くやしいよ！　さっき、主将《しゅしょう》に聞いたら、はっきり言ってたよ、残りのメンバーは一年にするって。むねがえぐられるくらい、くやしいよ……」

坂道は堂々《どうどう》と負けをみとめた手嶋の勇気《ゆうき》にあっとうされた。

手嶋はいたむ足でゆらゆらと立ち上がった。

「だから」

そう言って、鳴子《なるこ》の胸《むね》をこぶしでたたいた。

「インターハイで勝ってこい!! オレたちを!! 総北《そうほく》を!! 田所さんたち三年を表彰台《ひょうしょうだい》にあげてこい!! それができなければ、もどってくるな!」

手嶋《てしま》は今泉《いまいずみ》のみぞおちに軽くパンチしながら、「おまえもだ」と言った。

「はい!!」

今泉は、力強く返事をした。

部屋を出ようとした手嶋がよろけたとき、坂道はかたをかそうとした。すると同じように、ぼすっとはげましのパンチをくれた。

坂道は手嶋の思いをうけとった気がした。

雨の四日目

翌日《よくじつ》、合宿四日目の最終日《さいしゅうび》――。

外は雨。

バケツをひっくり返したような
大雨がふりそそいでいる。

きょうのうちに千キロを走り切らなければならないのに、よもやの悪天候《あくてんこう》となった。

雨だとタイヤがすべるし、ブレーキもきかない。視界《しかい》も悪い。どうしてもペダルから力がぬける。

ハァ、ハァ、ハァ、ハァ

坂道は、こんなに強い雨の中で自転車をこぐのははじめてだった。

自転車をこぐと、いつもならシャーというチェーンの回る音や、風がゴゴゴォーと耳に当たる音が聞こえるのに、きょうはザーッという音のカーテンにつつまれているようだ。ヘルメットは水びたしで、雨水が顔にたれてくる。メガネも水てきがつき、シャツはぐっしょりとぬれている。いいところがあるとしたら、暑さがマシなことくらいだ。

ハァ、ハァ、ハァ、ハァ

坂道は、それでもリズムよく息をつきながら、根気よくペダルをふんでいた。

がんばらなきゃいけないのに……。雨でペダルが、タイヤが……。

千キロ、走り切らなきゃダメだ!!

ズルッ。すべる……。

ペダルをふむ足が雨ですべった、そのひょうしにガシャンと自転車が横だおしにころがった。

雨はようしゃなく、坂道にたたきつける。

「あっ。いてててて。がんばらなきゃいけないのに……」

坂道は自転車を起こして、またがった。

フィニッシュ

そのころ、ホームストレートを数台の自転車が通った。

田所、金城《きんじょう》、少しあいて、今泉《いまいずみ》、鳴子《なるこ》だ。

ラインをこえると、周回数《しゅうかいすう》を表す電光表示《でんこうひょうじ》がカシャカシャッと変わる。
田所と金城《きんじょう》は、あと一周《しゅう》で、千キロ達成《たっせい》だ。最終《さいしゅう》ラップに入ったのだ。

金城はさっきからうしろを走る今泉《いまいずみ》が、少しも自分を追いぬこうとしてこないことにイラだっていた。

来い！　今泉‼
金城は心の中で強くさけんだ。

「今泉よ、ロードレースはオールウェザースポーツだ。つまり、どんな天気だろうが、中止にならない。雨、きり、雪、突風《とっぷう》、こげるほどのしゃく熱の日差《ひざ》しの中でも、レースは行われる。
どんな条件《じょうけん》の中でも百パーセントの力を出せなければ、レースから脱落《だつらく》する。体力、精《せい》神力《しんりょく》、知恵、戦略《せんりゃく》、天候《てんこう》……いろんなふるいにかけられる。ロードレースは非情《ひじょう》で、過酷《かこく》

な、生き残《のこ》りゲームだ。

この四日間の合宿で走る千キロといえば、高校のある千葉《ちば》から九州《きゅうしゅう》まで行ける距離《きょり》なのだ。そこを小細工《こざいく》された自転車で、おまえたちは勝負をかけてきた二年生をはねのけ、ここまでついてきた。それくらいのフィジカル（体力）と意志《いし》がなければインターハイでは戦《たたか》えない。

きのうの二年生との激戦《げきせん》のつかれが残っているのかもしれん。でも、そんなことは関係《かんけい》ない」

金城を追う今泉は、必死《ひっし》でペダルをふんでいるのだ。手をぬいてなどいない。

全力をふりしぼって、走っているつもりだ。

「くそ、この合宿で一度も……たったの一度も三年をぬけてない。目の前にいるのに、ぬけない!!」

今泉は奥歯《おくば》をギリリとかみしめながら、金城の背《せ》中《なか》を見つめてこいでいる。

前を行く金城《きんじょう》がふり返った。サングラスごしの目が少しわらっているように見える。

「今泉《いまいずみ》、鳴子《なるこ》、よくやったな。だが残念《ざんねん》だったな」

とゴールを目の前に、声をかけていった。

そのつぎのしゅんかん、まずは、田所が千キロを走り切ってゴール。今泉は九十キロの差《さ》をつけられていた。続《つづ》いて、金城が千キロ終了《しゅうりょう》のゴール。

今泉、鳴子は、まだまだ終わらない。つぎの周回《しゅうかい》に入っていく。

その背中《せなか》に向かって金城がエールの声をかけた。

「今泉、鳴子、ここまで来い……もがいてもがいて登って来い！」

チッ。

ちくしょおおおおお！

自転車からおりて、見送る金城と田所を背に、新しい周回に入った今泉と鳴子はくやしくて、声をあげた。

中学時代は負け知らずの二人なのに、数々の修羅場《しゅらば》をくぐってきている先輩《せんぱい》には、まるで歯が立たないのだ。

金城は、その様子を見ながら、自分に言い聞かせるようにつぶやいた。

「今泉よ、鳴子よ。

インターハイには、おまえたちの想像《そうぞう》をこえるさらなる頂《いただき》がある……。そこに登るためには、今の合宿でさえ、まだぬるい!!」

金城《きんじょう》と田所は王者の選手《せんしゅ》の層《そう》のあつさを思い出していた。

王者とは箱根学園《はこねがくえん》。

インターハイを制《せい》すには、このチームをたおさねばならない。

「ふつう、エースとよばれる選手《せんしゅ》はチームに多くて二人なのに、
箱根学園《ハコガク》は六人全員がエースなのだ‼　トップゴールをねらえる最強《さいきょう》の布陣《ふじん》だ。

だが、われら総北《そうほく》も最強《さいきょう》チーム箱根学園のように仕上げてみせる‼

だから、一年よ、ぜったいに千キロを走り切れ。

夜の十二時までに達成《たっせい》できなかった者には、インターハイのジャージはわたさない!!!」


十四時二十一分。

そこへ「オレは雨、きらいじゃないっショ‼」とすずしい顔をして、三人目の三年生、巻島《まきしま》がフィニッシュしてきた。

これで、金城、田所、巻島の三年生全員が、千キロ走破《そうは》。

力の差《さ》をまざまざと見せつけている。

二年生の手嶋《てしま》と青八木《あおやぎ》はケガでリタイアということは、今、走っているのは、一年生の今泉《いまいずみ》、鳴子《なるこ》、そして坂道だけだ。


坂道は、どしゃぶりの中、一人、こどくに走行を続《つづ》けていた。

さっきから、何度もペダルがすべる。

そのようすを、宿舎《しゅくしゃ》のまどから見下ろしている瞳《ひとみ》があった。
「もしかしたら、今ごろ、オレたちがあそこを走っていたかもしれない。あいつも相当《そうとう》むりをしているはずだ。完走《かんそう》できるのか？　今泉と鳴子は、千キロ、いけそうだ。でも……、小野田は……」

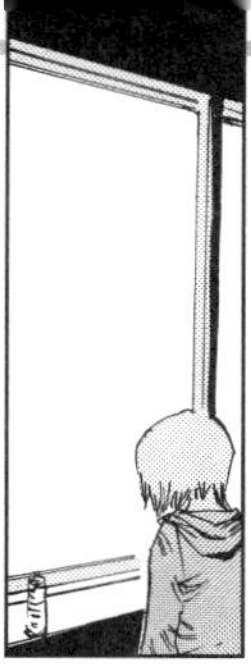

その男の足には、ほうたいがぐるぐるとまかれていた――。

ペダル

はぁ、はぁ、はぁ、はぁ、
ぐるぐるぐるぐるぐるぐる、
びしゃん。

水たまりをよけることもなく、坂道はペダルをふんでいた。

「今泉《いまいずみ》くんと鳴子《なるこ》くんに追いつきたいけどペダルがすべるんだ。さっきから何度も……」

そんな坂道の気持ちをあざわらうかのように、雨は強くなる一方だ。

「でも、ここまで来たんだ。はじめはむりだと思った千キロが、あと百六十キロ！

がんばれ、

がんばれ、
あきらめるな
まだだいじょうぶ!!」

坂道は、自分で自分を一生懸命《いっしょうけんめい》におうえんした。

「まだ、回せる！」

強い力をふりしぼってふみこもうとしたときのことだった。

ギンッ

小さな音がすると、自転車はゆらいで、坂道が投げ出された。

水たまりの中に、坂道はころげた。

ハァ、ハァ、ハァ、ハァ

雨はようしゃなく、坂道の体にうちつける。


そのとき、坂道の頭の中で、ふいに映像《えいぞう》が流れた。

「行くんだろ、インターハイ！」と、今泉《いまいずみ》がポンと坂道のかたをたたいた。

「ワイがフォローしたる！」と、鳴子《なるこ》がそばにいた。


あきらめるな!!!


水たまりに顔をつっこみながら、坂道はさけんだ。

こんな最悪《さいあく》の状態《じょうたい》なのに、むくむくと闘志《とうし》がわいてきた。

「行ける。だいじょうぶ……、間にあう……。」

夜の十二時まではきょうだ。まだ時間がある。このままこぎ続《つづ》ければ――」

自転車を立て直して、またがった。

え？

ペダルをふもうとして、坂道はとまどった。

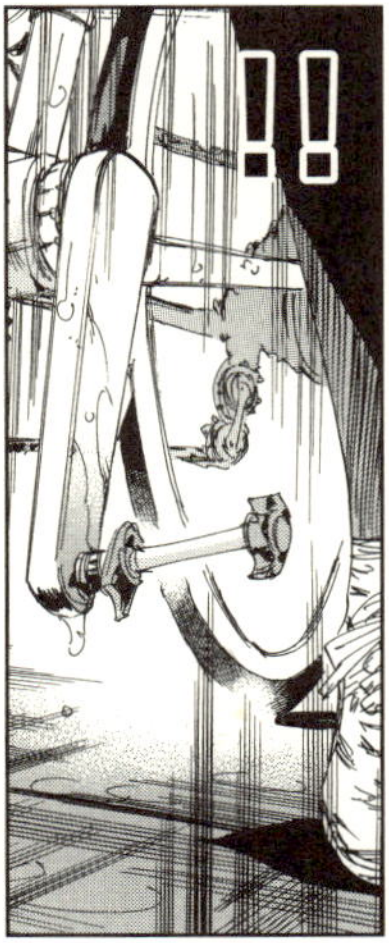

そして、信じられないものを見た。自分の目をうたがった。

「えええーーーーっ!!!　ペダルがないっ!!!　ペダ……ルが割《わ》れている……!!!」

少しはなれたところに、むざんにもバラバラになったペダルのはへんが落ちていた。

あわててひろってはめてみようとしたが、部品がバラバラでくっつかない。

「ダメだ……。ただでさえすべるのに、これじゃ、走れない」

坂道はぜつぼうした。

そのときだった。

ジャア――――と、自転車の走行音《そうこうおん》が聞こえてきた。だれかが近づいてくるみたいだ。

鳴子《なるこ》くんーーーーー！

「ちょうどよかった、じつはペダルが……」

じごくにほとけとばかり、坂道はすくわれたと思ったが……。鳴子と今泉《いまいずみ》は坂道には目もくれず、あっという間に通りすぎていってしまった。

ただ、鳴子が、「ゴールで待っとるで‼　ふんばれよ‼」と、通りすがりざまにさけんでいった。

助けてもらおうだなんてあまかった。とても話せる状況《じょうきょう》じゃないんだ。

千キロ目指して、みんながんばっているんだ……。

当たり前だ。他人にかまっているひまはないんだ。
坂道の顔に流れているのは、雨か、なみだか？　しょっぱい味が口に流れこんできた。
「ボクはボクの……自分の力でやらなきゃ。そのための合宿だ。
登りはおしていこう。そのほうが、たぶん早い」
坂道は、ペダルがなくなってこげなくなった自転車をおし始めた。
こがずにおして登る坂は、思いのほか長かった。
やっと坂の頂上《ちょうじょう》に着くと、自転車にまたがって、自然《しぜん》の力にまかせて下り始めた。
最終《さいしゅう》コーナーを左にまがると、ホームストレートをゆるやかに下っていった。
それを見ていた金城《きんじょう》が「小野田は周回《しゅうかい》ペースがやけに落ちているな」とつぶやいた。

「へぇ……、残《のこ》り百六十キロ……、このままじゃ、完走《かんそう》できないッショ」
と巻島《まきしま》が分析《ぶんせき》する。
「……。間にあわなければ、それまでだ」と大きく息をすってから、
金城《きんじょう》が言った。
「キビシーねぇ……」と巻島は首をふった。
それまで、というのは、インターハイのメンバーには選《えら》ばないということだ。

坂道、ピンチ！

手嶋《てしま》の助け

ペダルが割《わ》れてから一時間。坂道はたったの二周《しゅう》しか進めなかった。
ムリ……かも。
いや!!!

弱気になるな、弱気になるな、弱気になるな、弱気になるな、弱気になるな。
だいじょうぶ、だいじょうぶ、だいじょうぶ、だいじょうぶ、だいじょうぶ!!!
自分の力でやるんだ。
なんとかするんだ。なんとか――。

あ………。

そのときだった。
コースのどまん中に、かさをさした手嶋が立っていた。

「手嶋さん……じゃないですか」
手嶋は、足を引きずりながら近づいてきた。
いたみをがまんしているにちがいない。それにもかまわず、坂道に語りかけてきた。

「おう。おまえ、ペダルがこわれてるんじゃねーか」

「え…………あ…………」

「それで周回《しゅうかい》ペースが落ちていたのかよ。むりもねーな。あの回転数でブン回してちゃあ、プラスティックのペダルはすぐに割《わ》れちまう」

「ど……どうしてここに？　足はだいじょうぶですか？」

「はぁ？　だいじょうぶなわけないだろ。しばらく自転車に乗れないんだぜ、だからよ……おまえにやるよ、使え」

手嶋《てしま》はがしゃんと持っていたふくろをわざとらんぼうに投げた。

「なんですか？」

「※クリートだ。ぜったいにはずれない、クツとペダルだ」


地面に落ちたふくろからは、白いクツと、金属製《きんぞくせい》の小さなペダルが顔をのぞかせていた。

手嶋が言った。

※クリート…自転車のビンディングペダルとシューズを固定する金具
（3巻の『これでキミも自転車通！』でくわしく説明）

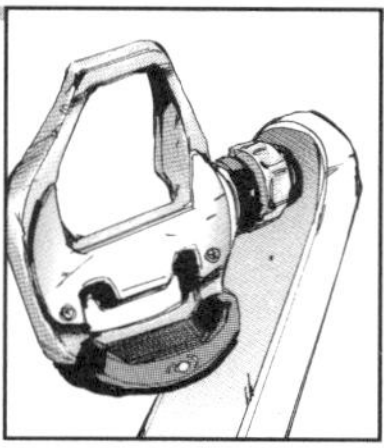

「そいつは足をペダルにシューズごと固定《こてい》する道具だ。正式には、ビンディングシューズ、ビンディングペダル、それをつなぐ、クリート。自転車競技専用《きょうぎせんよう》のクツとペダルだ」

そう言い終わるとしゃがみこみ、坂道の自転車に、工具を使って取りつけ始めた。

「このクリートってのはな、ただ足を固定してすべらなくするためだけの装置《そうち》じゃない。

通常《つうじょう》は、ふみこんでもどってくるときは足をのせているだけのペダルを、引っぱりあげることができるんだ。

ふむ力と引く力、同時に二つの力が加わることになる」

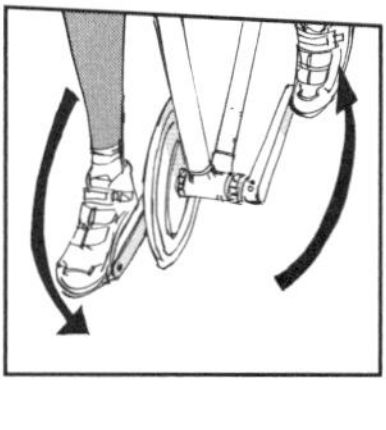

やがて坂道はようやく口を開いた。

「あ……あの、でもどうしてそれを、ボクに？」

手嶋は、坂道の顔を見上げた。

「なあに、宿舎《しゅくしゃ》にいてもたいくつだから、たまたまさんぽしてたのさ」

そう言って、手嶋は息をついた。

「オレは、おまえに二度負けた。あの周回《しゅうかい》の坂、それとゴールと。

オレは全力を出し切ったが、とどかなかった。

おまえのことは研究《けんきゅう》していたんだ。だから、山でおまえをおさえられる計算だった。だが、おまえはオレの予想《よそう》をこえて走った。マジかよって思った。

そのことをずっと考えているうちに、ふと、もう一つの考えがうかんだんだ。

おまえが、どこまで速く登れるようになるのか、見てみたいってな。さあ、できた」

ペダルの取りつけが終わって、手嶋《てしま》は立ちあがった。

「このクツをはいていけ。オレのクツをはいて、行けよ、小野田。

こいつを使えば、今までの倍の力でペダルを回せる‼」

うわあああああああああ――――‼

ペダルが軽くなったみたいだ。ふんでないみたいに軽い‼

すごい、まるでバイクかなにかに乗っているみたいだ!!!
ふたたび、自転車にまたがった坂道は、それまでの分もあわせてブッ飛《と》ばした。
ぐるぐるぐるぐるぐるぐるぐるぐるぐるぐるぐるぐる
スピードメーターがぐんぐん上がる！　ぐんぐん進む……!!

「小野田、限界《げんかい》まで回せ。おまえはもっと速くなる」
手嶋が丘《おか》の上から見送って、そうつぶやいた。

合宿四日目の陽《ひ》がくれた。きょうの夜中の十二時までにゴールしなければならない。
今泉《いまいずみ》と鳴子《なるこ》はぶじにゴール。
あと走っているのは小野田坂道だけとなった。
「近づいている。ぜったいにむりだと思った千キロが……」

クリートという新《あら》たな武器《ぶき》を手にした坂道はペースを上げて走った。

ホームストレートを通過《つうか》するとき、巻島《まきしま》が新しいボトルをわたしてくれた。

「間にあう、間にあう！」と鳴子《なるこ》がせいえんを送った。

「キミ、やるね！　意外にやるね‼」と杉元《すぎもと》がさけんでいた。

みんなが坂道の新しい走りを見つめていた。

坂道は、ぐんぐんとフィニッシュに向かっていた。

こぎながら、いろんなかんしゃの思いがこみ上げてきて、むねがいっぱいになってきた。

「坂のみりょくを教えてくれた巻島さんや、勝負してくれた手嶋先輩《てしませんぱい》、青八木《あおやぎ》先輩、みんなの力があったからここまで来られた。

今泉《いまいずみ》くんと会って、寒咲《かんざき》さんに自転車のことを教わって鳴子くんに引っぱってもらって。

ボクは思うんだ。

たぶん、この先、この千キロの先には、見たことのない道が広がっているって。そこに行くにはすごくたいへんだと思うけど、だけど、みんなとだったら行ける!!」

合宿四日目、二十三時五十一分、
大かんせいの中、坂道、ゴール。
千キロ達成《たっせい》。
坂道は号泣《ごうきゅう》した。

半年前まで、ドシロートだった坂道は、改造《かいぞう》された乗りにくい自転車で、たくさんのトラブルにあいながら、制限《せいげん》時間内で千キロを達成することができた。

雨が上がって、夜空に星がまたたいていた。

ジャージが配られる日

夏休みになった。きょうは登校日だ。

今泉《いまいずみ》と鳴子《なるこ》がろうかを歩いていると、あちこちから生徒たちの声が聞こえる。

「おい、見ろよ」

「赤頭《あかあたま》と背《せ》デカのコンビ！　今の二人ってひょっとして……」

「オレもうわさを聞いたんだ、自転車部のインターハイ全国大会のメンバー入りらしいぜ」

「すげえよな、まだ一年なのに」

赤頭とは鳴子、背デカは今泉のことだ。

二人は、するどい目線でちょっとふきげんそうに歩いている。

「おい、なんでついてくるんだ」と、今泉がぶつくさ言う。

「たまたま向かう場所が同じやからや」と、鳴子がつっけんどんに返した。

「チッ、いっしょにいると、なかがいいみたいに思われるじゃないか」

その今泉の言《い》い草《ぐさ》に、鳴子は食《く》ってかかった。

「アホかっ!!! そりゃワイのセリフや。今もコンビみたいに言われてもたやろ」

今泉も「なに？　コンビじゃないだろ、コンビじゃないぞ、明らかに！」と言えば、

「ほな、ワイの五メートル、うしろを歩けや！」と鳴子。

「おまえがそうしろよ！」と今泉のことばに、鳴子が「おまえや、ワイはいつだって前を行くんや！」と返す。

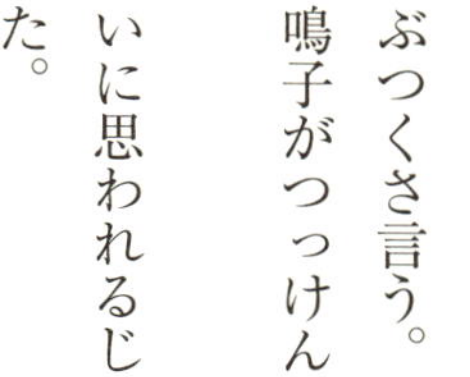

そこへ、「あっ、来た来た。おーい、こっちだよ」と声をかけたのは、寒咲《かんざき》ミキだ。
白いブラウスにストライプのリボン……夏服だ。

「あれ？　しばらく見ないうちに、二人ともたくましくなったわね」

そう言いながら、バシッと今泉《いまいずみ》のむな板をたたいた。

「うん、合宿のおかげだね。成長した感じ！」

と、そのとき、「みんなおはよう！　ギリギリ間にあった！」と坂道があらわれた。

「あれー、小野田くんもなんだかたくましくなったね！」

「えっ、いや……、そそそそんなことは……」

坂道はドギマギした。

「千キロ、おつかれさまでした」とミキはニコッとわらった。
そのえがおに坂道はドキッとした。
「はっ……ぁあ……いやその……それは……ですね……みんなの協力があったからできただけで、ボクはただ言われたまま走ったというか、手嶋《てしま》さんや巻島《まきしま》さんや今泉くんや鳴子《なるこ》くんのですね……そそそのあの……」

てれて、言いわけをしている坂道を見て、ミキが「すごいことなのに！」とわらった。

今泉が坂道に聞いてきた。

「そういえば小野田、今朝はめずらしくギリギリだったな。なんかあったのか？」

「……。いやとりためていた……あ……あの、テ……テレビを……みてて」

「アニメだね」とミキがわらった。

今朝、坂道は大好きな『ラブ☆ヒメ』をみてから、学校までママチャリを飛《と》ばした。

「おい、そんなことより、今からじごくやで！」

鳴子がさけんで、みんな、われに返った。

ゾロゾロと入ろうとした教室のとびらには、

「自転車競技部《きょうぎぶ》　遠征《えんせい》合宿　振替補習授業《ふりかえほしゅうじゅぎょう》」と、はり紙があった。

「補習授業が待《ま》っていたとは……当然《とうぜん》と言えば当然、授業を休んでの合宿だったからな」

席に着いた今泉《いまいずみ》がぶつくさ言った。

「天気のええ土曜《どよう》にわざわざ出てきて授業かい!!　なんでやねん。あかん、ねむたくなってきた。ぐうう、自転車に乗りたい!!」

鳴子《なるこ》もぶつぶつ文句《もんく》を言っている。

黒板に、かつかつと先生が板書《ばんしょ》していく。数学《すうがく》の授業だ。

「……ということで、x＝19を代入しまして、えー……」

坂道はだんだんと授業がうわの空になり、そのかわりに、合宿の最後《さいご》に金城《きんじょう》と二人きりで話したときのことを思い出していた。

荷物《にもつ》をまとめて帰りのバスに乗りこむ前に、金城から声をかけられて少し立ち話をしたのだ。

「小野田、よくがんばったな。正直、オレは、おまえが千キロをクリアできるとは思っていなかった」

坂道はほめられたと思ってうれしくなったが、金城の言葉は続《つづ》いた。

「だが、千キロは、クリアすべき最低条件《さいていじょうけん》にすぎない。ただ完走《かんそう》すればいいだけならば、二年生はあんなふうに勝負をしかけたりしなかっただろう。だいじなのは実戦《じっせん》だ。真の実力は実戦によってのみはかられる。

小野田、あえて言う。おまえは、実戦のための、技術《ぎじゅつ》、判断力《はんだんりょく》、経験《けいけん》が、すべてにおいて、ほかのだれよりも、圧倒的《あっとうてき》に不足《ふそく》している!!」

坂道はあまりのきびしさに心臓《しんぞう》がドンと止まるかと思った。

「ライバルの箱根学園《はこねがくえん》はメンバー六人全員がエース、最強《さいきょう》の布陣《ふじん》だ。それに打ち勝って全国優勝《ゆうしょう》するためのうちのゲームプランは、〝最強《さいきょう》〟。どこにも負けない最強のチームだ!!!　オレたちが目指しているのは優勝だ!!」

金城はそう言いはなった。

坂道はそのときの顔をありありと思い出した。あんなこわい顔は見たことがない。

「だから小野田、おまえは……」

と言いかけたときに金城《きんじょう》に電話《でんわ》がかかってきて、話はそこで終わってしまった。

そうか、ボクにメンバーに入る余地《よち》はない……のですか？　……ですよね。

坂道は箱根学園《はこねがくえん》の一年生、真波山岳《まなみさんがく》から借りっぱなしのボトルにさわりながら、そのときのことを思い出していた。

ごめんーー、真波くん。がんばってみたけど、ボクは行けないよ…インターハイ……。

まどの外には、入道雲がもくもくとわきあがっていたが、坂道は元気が出なかった。

補習《ほしゅう》授業の四時間目は英語だ。

ガラッと教室のとびらが開いてのっしのっしと入ってきたのは、自転車競技部《きょうぎぶ》のカントクだった。

「カントク！　英語の先生だったのか！」

みんな、おどろいた。

「みなさん、ここではカントクではありません。ミスター・ピエールとよびなさい」

自転車好きの外国人だとばかり思っていたら、じつは先生だったのだ。

するとニコッとわらい、「ハッハッハ、こんな天気のいい日に授業をやるなんて、ナンセンスデース。ドーデスカ、みなさん、自転車に乗ってキテは!!」と言ったものだから、全員が、ヒャッホーイと教室を飛《と》び出してしまった。

「みんな、すごいいきおいだな」と坂道だけが教室にポツンと残《のこ》っていた。

「アナタは、行かなくていいんデスか？」

「ボ……ボクは……出られないから……」

坂道はうつむいた。しかし、ふっ切れたように言った。

「いやいや、くさっていてもダメですね、うん‼　ボクも来年を目指してがんばります‼」

明るい声をむりやりに出した。

「今年もガンバリなサイ」

ミスター・ピエールがなにかを言ったような気がしたが……。

「――いや、あのですね、先生。今年はもうボクは部長《ぶちょう》さんに最強《さいきょう》のチームに入るには実力が不足《ふそく》しているからって」

カントクはわかっていない、ちゃんと説明《せつめい》しなければ、と坂道はまくしたてた。

「出るなと言われましタか？」

え⁉

ミスター・ピエールはさらに坂道にたずねた。

「キャプテン・キンジョーが考えている〝最強〟のプランの中身を最後《さいご》まで聞きマシタか？」

……⁉

「オノダサカミチ、かれからのあずかりものがアリマス。これはあなたへと」

かれは、紙ぶくろの中から、総北《そうほく》高校自転車競技《きょうぎ》部《ぶ》のレギュラージャージを取り出した。

黄色くかがやく、あこがれのジャージ。

「アナタのジャージ、デス」

坂道は息が止まりそうになった。

おどろきのあまり、心臓《しんぞう》がドクンとした。

「そ…… え!? ボクに……」

インターハイのチームジャージ!!

ミスター・ピエールはやさしくえみをうかべていた。

「強者《つわもの》が集《つど》うインターハイでは、かんぺきなチームを作ったとしても、上位《じょうい》入賞《にゅうしょう》はできても、優勝《ゆうしょう》はできないとかれは言いマシタ。ロードレースはつねに予測《よそく》不可能《ふかのう》。なにが起こるかわからないスポーツです。勝利《しょうり》をみちびくために必要《ひつよう》なのは……」

そこまで言うと、ピエールはぐぐぐと大きな顔を近づけてきた。

「あなたのような不確定要素《ふかくていようそ》デス!!!」

坂道のこめかみから、あせがひとすじ、ツーと流れた。

「一年生レース……、合宿でのスプリント……、そして千キロ達成《たっせい》……。

どれも予測《よそく》できなかったとキャプテン・キンジョーは言ったハズです。

あなたには、判断力《はんだんりょく》、技術《ぎじゅつ》、経験《けいけん》を上回る、意外性《いがいせい》があるのデスよ!!!」

ピエールの言葉は、自転車レースの酸《す》いも甘《あま》いもかみ分ける〝カントク〟のものだった。

「スピードの田所クン、鳴子《なるこ》クン。総合力《そうごうりょく》の金城《きんじょう》クン、今泉《いまいずみ》クン。登りの巻島《まきしま》クン。

そして、キミ。この六人が、キャプテン・キンジョーが考えた最強《さいきょう》メンバーデス!!」

第二章　円陣《えんじん》

弱気の虫

むねに大きく「総北《そうほく》高校　自転車競技部《きょうぎぶ》」、そして、かたに「SOHOKU」の文字が入った、黄色いユニフォーム。

目立つ！　どこから見ても目立ちまくる。

それが総北高校自転車競技部のインターハイジャージだ。

光沢《こうたく》のある軽い素材《そざい》で、体にぴったりはりついて、空気抵抗《ていこう》をへらす。はじめてそでを通した坂道は、その着心地《きごこち》のよさにおどろいた。

これからインターハイまで、このジャージを着て練習する。着られるのはレギュラーメンバーに選《えら》ばれた六人だけだ。

放課後《ほうかご》の練習。きょうはウエルカムレースのコースを走る、ロードトレーニングだ。

坂道が走り始めたら、しばらくして、ジャアアアアアアアという走行音がうしろから聞こえてきた。

「悪いな小野田」

「すまんの小野田くん」

「先に行く！」

今泉《いまいずみ》と鳴子《なるこ》が、坂道をぬいていった。

今泉は、「シフター（変速機《へんそくき》）は最《さい》っ高《こう》だぜ‼　意のままに自転車が動く。きっもちいいぜ！」と調子にのっている。

そうだった。今泉は千キロ合宿の間は、シフターが取りはずされた自転車で走っていた。ハンディキャップがなくなり、今まで以上にパワーアップした走りができるようになっているのを楽しんでいるのだ。

それは鳴子《なるこ》も同じだ。鳴子は、ドロップハンドルの代わりに、バーハンドルにつけかえられた自転車で千キロを走った。もとにもどすと、〝下ハンドル〟が使える。

「下ハン、最高《さいこう》！　グイグイいけるで！　もうだれにも負けん！」

二人は、このひさしぶりの感触《かんしょく》を楽しむように、坂道をぶちぬいていったのだった。

それを見た坂道はえがおになった。

「すごい速い。燃《も》えている、二人とも……!!

いつもとやる気がちがう。

やっぱりインターハイのメンバージャージのせいだ!!」

二人を見送ったあと、ふと自分のむなもとを見た。同じように「総北《そうほく》高校自転車競技《きょうぎ》部《ぶ》」とある。今泉《いまいずみ》や鳴子と同じジャージを自分も着ていることがふしぎなくらいだ、と思った。

数日前、レギュラージャージをもらったことを二人に話したとき、鳴子は「もろたんか！　よかったなー、カッカカッカッカッカ」と大わらいした。
今泉は、「ある意味、きせきだな」と言った。
坂道はこのジャージをもらったことが、だんだんと気が重くなってきていたのだった。

そこに田所《たどころ》の自転車が追いついてきた。
「オイオイオイッ！　なにやってるんだ、小野田!!　きょうの練習のルールは、〝ぬかれたらはりつく〟だぞ。はなされてんじゃねーぞ！」
どなられた坂道は「あ、あの……」と質問《しつもん》しようとしたが、それを田所はさえぎった。
「おっと、質問は峰ヶ山《みねがやま》の山頂《さんちょう》にゴールしてからにしろ!!　三年生スプリンターとしては、先行したあいつらをつかまえなきゃメンツが立たねえ!!」

坂道を追いぬき、今泉《いまいずみ》と鳴子《なるこ》を追う田所は、ぬきさり際《ぎわ》、坂道にこうアドバイスした。

「小野田、気合いだ‼　必要《ひつよう》なのは勝つ意志《いし》だ‼　そいつがおまえ自身を強くする‼」

「は、はい！」
大先輩《だいせんぱい》の言葉に、坂道は背筋《せすじ》がピンとする思いだった。
「いいか、小野田。期待してるぜ。一年生レースや、合宿のときみてえな走りを、インターハイで見せろよ‼　じゃあな」
田所はドンと加速《かそく》して、ペースを上げていってしまった。

坂道は、また一人になった。頭の中でいろいろな考えがぐるぐるとする。


「あのときみたいな走り――――そんなのできるのだろうか。

ボクは、人生ではじめて〝期待〟されているんだ。

ジャージをもらって、メンバーになれて、これで真波《まなみ》くんや今泉くんや鳴子くんといっしょに走れるって、最初《さいしょ》はうれしかったけど……。

今までは必死《ひっし》でやったら、たまたまできただけで……。

本当にみんなの〝期待〟にこたえられるんだろうか——ああ、もし、できなかったら。

みんなが目指している〝優勝《ゆうしょう》〟を、ボク一人のせいでダメにしちゃったら——」

「なにをしている、小野田」

その声に、坂道はわれに返った。

金城《きんじょう》だった。

「ハイ‼　すみません。

練習中ですし、がんばります、がんばります。

勝つ意志、勝つ意志、勝つ意志ですね!!!

ボクが一人でたおれたら、みんなの計画が……あの……ダメに」

なんだか、しどろもどろになって坂道は言いわけしたが、金城は「そうだな」と坂道の背《せ》中《なか》をポーンとたたいた。

そのとき、金城は、手のひらごしに坂道の背中がぶるぶるとこきざみにふるえているのを感じて、おどろいた。

「はっ、ひゃい。やります‼
よおおおおし、今泉《いまいずみ》くんと鳴子《なるこ》くんと田所さんに追いつきます‼」
坂道は自分をふるいたたせて、ふたたびこぎ始めた。

がんばれボク
考えるな
考えるな
考えるな‼

……でもおかしいな。ホイールをもとにもどしてもらったし、合宿のつかれもぬけたはずなのに、力が入らない……ペダルがから回りしているみたいだ……。

…………ダメです。ボクにはこのジャージは、重たいです。

ジャージの重み

メンバーが、続々《ぞくぞく》と峰ケ山《みねがやま》の山頂《さんちょう》にとうちゃくした。

「で、なに？　小野田は結局《けっきょく》、全員にぬかれちゃったわけ？」

と田所が確認《かくにん》する。

「小野田くんは、やっぱり先頭を走らせるとおそいんかなあ。きのうまでは元気やったけどなあ」

と鳴子がかたを持った。

「なんだかなあ。なにやってんだ？　こまったもんだ」と巻島《まきしま》がやれやれという表情《ひょうじょう》をしたとき、坂道が坂を上がってきた。

「だいじょうぶか、あいつ。フラフラだぞ！」

と田所がさけんだ。

坂道は地面に目を落としたまま、ペダルをふむ足にも力がこもっていない。自転車は右に左によろけながらゆっくり進んでいる。

ダンシングをしているのではない、ただフラフラしているだけだ。

「小野田くん、そっちはみぞや。ヤバイ!」

と鳴子《なるこ》がさけんだ。

そのとき、金城《きんじょう》がさっと自転車にまたがると、猛《もう》スピードで坂道に向かった。坂を下り、坂道のすぐ真横まで来ると、たくみなブレーキコントロールでスピンターン!! 頭の向きを百八十度変えるやいなや、自分の自転車を、みぞと坂道のせまいすき間にすべりこませた。そして、左うでで坂道の体をだきとめた。
「だいじょうぶか、小野田」
坂道はなにが起こったのかわかっていない。
ともかく、みぞへの転落はふせがれた。

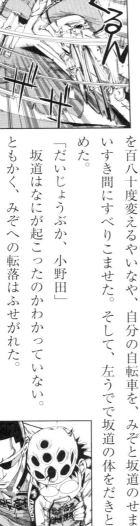

「ヒューーーーーー。すげぇターンだ。あいかわらず、金城の手足のようなバイクコントロールにはしびれるねェ」

巻島《まきしま》が称賛《しょうさん》した。

「す……げ」

鳴子はぽかんと口を開《あ》けたままだ。

「あの距離《きょり》を、しかも下りを走って、正確《せいかく》にターンするなんて」

今泉《いまいずみ》は、またしても同じポジションの先輩《せんぱい》のすごさに打ちのめされた。

坂道はわれに返り、だかれていることに気がついた。

「あ……、はっ、あ、すみません。

きょうは調子が悪くて……いえ、すみません。

がんばります!!」

失敗《しっぱい》をごまかすように、あわてて、早口でしゃべった。

するとき金城《きんじょう》は、こう言った。
「がんばらなくてもいいさ」

え？


がんばらなくてもいい……って？

坂道は自分の耳をうたがった。金城の声が続《つづ》いた。

「一人でがんばる必要《ひつよう》はない」

その言葉に坂道は思わず言い返した。

「でも、ボクが一人でたおれたら……」

「おまえがたおれたら、オレがささえる」


え？

坂道はじっと金城を見つめた。

「心配いらない」

金城はそう言いながら、坂道の目を見つめた。

「だが、もしもほかのヤツがたおれたら、おまえがささえろ」

ボクがみんなをささえる！

その言葉は、坂道の脳天《のうてん》にガーンとひびいた。

「いいか、小野田。ロードレースはチームスポーツだ。一人ひとりの力がどれだけすぐれていても、一人だけの力だけではぜったいに勝てない。全員が勝つ意志《いし》を持ち、なおかつ、チーム全員がささえあわなければ、頂《いただき》に登ることはできない‼」

全員の……ささえ……。

坂道の心の中に金城の言葉がしみこむ。

「小野田よ。おまえがつらくなったらオレたちがいる。

オレたちがつらそうになったらおまえが全力で助けろ。

それがチーム総北《そうほく》、オレたちの走りだ。

できるはずだ。

今までにおまえは、今泉《いまいずみ》や鳴子《なるこ》とそれを最大限《さいだいげん》にいかした戦《たたか》いをやってきている‼」

金城《きんじょう》から「チームの一員として、がんばってほしい。おまえにはできるはずだ」と言われたようで、坂道はうれしく、ほこらしい気持ちになった。

かたにずっしりとくいこむ感じの重さは、いつの間にか消えていた。

そうだ、ボクは、ボクの全力を出せばいいいんだ‼

「ようし、ジャージのジッパーを上げろ。ならべ」

メンバーのところにもどった金城は全員に大きな声をかけた。

「円陣《えんじん》だ！　オレたち、最強《さいきょう》チームの円陣を組む！」

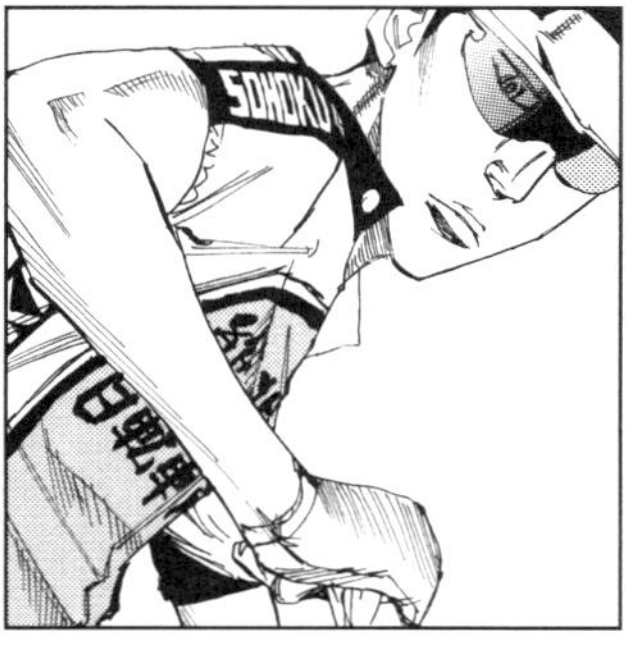

「はいっ‼」

坂道は力いっぱいこたえた。その表情《ひょうじょう》に、もう不安《ふあん》はない。

「おおし、気合い入れるぞ。おらあッ、かたを組め、かたを！」と田所がうでをふりまわす。

「やれやれ、円陣ねェ。そういうの、ニガテなんだよね」

巻島《まきしま》がブツブツとつぶやく。

そして、坂道のかたをポンとたたき、「しかたないから、やるかぁ」とうながした。

「オレがなんで鳴子のとなりなんだ」と今泉は文句《もんく》を言う。

「たまたまなんや、しゃあないやろ」と鳴子もだまっていない。

六人でまるくなって、かたを組んだ。

最後《さいご》に金城《きんじょう》が、しめた。

「つべこべ言うな。心を一つにしろ！」

円陣《えんじん》を組んだ先輩《せんぱい》たちを見ながら、坂道は思った。


そうだ、ボクはなにをおそれていたんだ。

こんなにスゴイ人たちといっしょに走れるんだ。

力になれるんだ。

そう考えただけで、ワクワクするよ！

金城がありったけの力を声にこめて、さけんだ。

「行くぞ、総北《そうほく》――!!」

「ファイオオオオ!!」

六人全員が声をそろえて、心を一つにした。

「小野田。それ意外と、にあってるッショ」

円陣をはなれると、巻島《まきしま》が坂道のジャージすがたを見てポツンと言った。

「そ、そうですか……」と坂道はちょっとてれた。


坂道は金城にたずねた。

「あの、ところで、今年のインターハイって、どこでやるんですか?」

「おまえには言ってなかったな……。今年のインターハイのメインステージは箱根学園《はこねがくえん》のホーム、箱根だ」

金城の目は「オレたちが王者、箱根学園を引きずりおろす!!」と言っているかのように光った。

六番目の切符《きっぷ》

坂道が、千葉県代表《ちばけんだいひょう》、総北《そうほく》高校のインターハイ出場の六人目のメンバーに選《えら》ばれたころ。

神奈川県《かながわけん》、箱根学園《はこねがくえん》。一年生の教室――。

「ダメ！　ダメダメダメダメダメ！　ぜったいにダメ！」

メガネをかけた女子が、男子の白シャツをつかんでさわいでいる。

「そんなこと言われてもこまるよー、委員長」

男子はどこかへ行こうとしているらしい。

「ちこく、授業中《じゅぎょうちゅう》のいねむり、プリントの未提出《みていしゅつ》……、いっつも自転車に乗ってばっかり。

あのね、あなたの欠席分《けっせきぶん》の授業単位《たんい》は、わたしが先生方に交渉《こうしょう》して、プリントをやればなんとかしてもらえるようにしたから、きょう中にやるのよ！」

「きょうはちょっと……、用があって」

顔はわらっているが、男子はおれそうもない。

委員長とよばれた女子は、上目づかいにはじらいながら、「でもあれよ……、一人でやれっていうわけじゃないから。ちゃんとわたしがそばで教えるから」と言いながら、ほおがみるみる赤くなった。

ところがふと、気がつくと、女子はぬけがらになった白いシャツだけを持って、一人で立っていた。男子は、するりと白シャツだけをぬいで、その場を脱出《だっしゅつ》していたのだ。

「ちょっとーーー、さんがくーーーー。にげるな、真波山岳《まなみさんがく》ぅぅうーーーーー」

ランニングシャツすがたになった、ろうかを走りさっていく男子の背中《せなか》に向かって、声をかけたが、あっという間にすがたが見えなくなった。

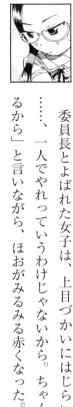

この男子こと、真波山岳《まなみさんがく》は箱根学園《はこねがくえん》のろうかを、タッタッタッタッタと走りながら、カバンのジッパーを開けて、もう一枚《まい》のシャツを取り出した。

「ごめんよ、委員長。オレちょっと行くところあるんだ。それはインターハイ‼」

白地の、かたにブルーのラインが入ったシャツにうでを通す。

「まだまだ全国には、速い人たちがたくさんいる。その人たちと走っておかないと、もったいないだろ！」

そのすがたは、まるでろうかを走りながら、変身していくヒーローのようだった。

前のジッパーをギュッとあげると、私立《しりつ》箱根学園自転車競《きょう》技部《ぎぶ》・真波山岳のたくましい顔つきに変わっていた。

この日は、前年度インターハイ優勝校《ゆうしょうこう》、そして、今年度の神奈川県《かながわけん》代表の、ぜったい王者、箱根学園の六人目のメンバーオーディションが行われるのだ。

部室前のスタート地点には、二台の自転車がならんでいる。

「もしも、あいつが選《えら》ばれたら、伝統《でんとう》と栄光《えいこう》の箱根学園の歴史《れきし》に新《あら》たな一ページだ」

「これまで、一年生メンバーが選ばれたことなんてなかったもんな」

見物の部員たちが、こそこそとうわさしている。

二年の黒田雪成《くろだゆきなり》対一年の真波山岳。

勝ったほうが、インターハイのレギュラー入りだ。

六人全員がエースとよばれる最強《さいきょう》箱根学園。どちらが選ばれても〝エース〟だ。

やがて、チームをひきいる主将《しゅしょう》の福富寿一《ふくとみじゅいち》がゆっくりとスタート地点へやってきた。

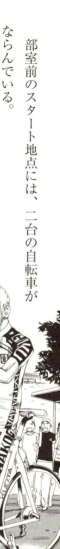

威圧感《いあっかん》がすごい。体は大きく、筋肉《きんにく》という筋肉がきたえられて、かたく引きしまっている。短い髪《かみ》はさか立っていて、なにより、太いまゆ毛の下の細い目の眼光《がんこう》がするどい。

部員たちは福富《ふくとみ》に道をあけるように一歩下がった。

福富は、箱根学園《ハコガク》ジャージを着た黒田と真波《まなみ》の表情《ひょうじょう》を点検《てんけん》するようにちらりと見た。

黒田……。

登りに強い。ほかの学校ならば即《そく》エースだ。だが、ここは箱根学園《はこねがくえん》……。

黒田は口を真一文字《まいちもんじ》に結《むす》んで、息をととのえている。気合い十分の表情だ。

一方の真波……。おまえは未知数《みちすう》……、一年生なのに上級生をおさえてきたという走りを見せてもらうぞ。

真波は、のんきなのか、「アァー　南風がふいてきたー」とリラックスしている。

福富は伴走車《ばんそうしゃ》に乗りこんだ。二人を追うのだ。車内には副主将《ふくしゅしょう》の東堂尽八《とうどうじんぱち》、荒北靖友《あらきたやすとも》、新開隼人《しんかいはやと》、泉田塔一郎《いずみだとういちろう》が乗っている。これぞ〝全員エース〟の箱根学園《ハコガク》豪華《ごうか》メンバーだ。

スタートの合図とともに、二台の自転車が走り始めた。

私立《しりつ》箱根学園は、芦ノ湖《あしのこ》の近くの丘陵地《きゅうりょうち》にある。

きょうのコースは、国道一号線を、小田原《おだわら》方面に下っていって、小田急箱根湯本駅《おだきゅうはこねゆもとえき》をすぎ、湯元《ゆもと》大橋でターン。帰りは、旧《きゅう》国道一号線をずーっと登ってきて、芦ノ湖の手前を右にまがって学校にもどってきてゴール。

二人きりのマッチレースだと、どちらが先にしかけるかが勝敗《しょうはい》の大きなポイントとなる。

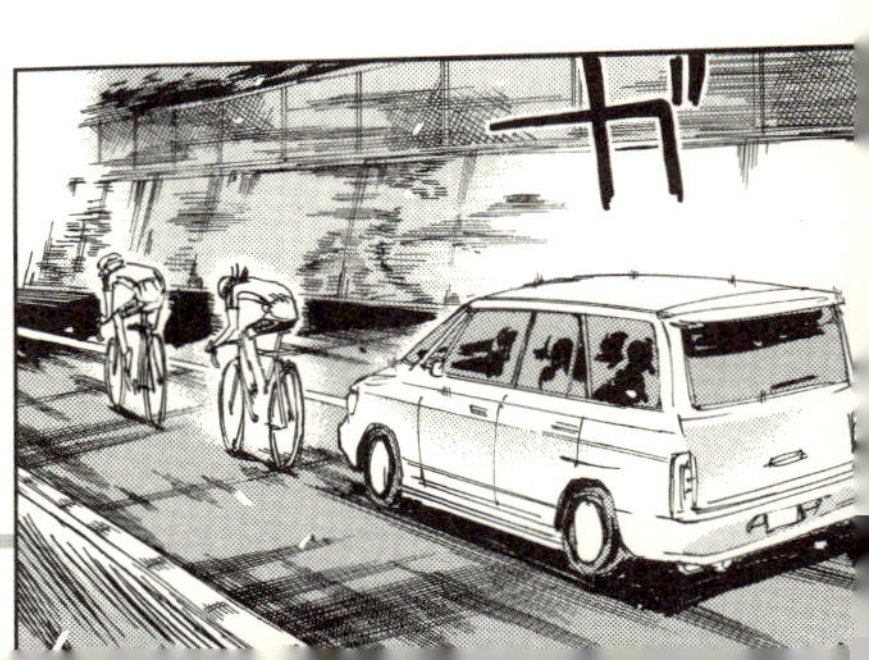

最初《さいしょ》は、おたがいのようすをさぐるように飛《と》ばしはしない。黒田が前、真波《まなみ》がうしろだが、全速力にはほど遠いランデブー走行だ。

二人の走りを見守る車内では、黒田と同じ二年の泉田《いずみだ》が、「黒田くん、この日にかけていましたから。コンディションはかんぺきですよ」と言った。

「きょうはクライマー同士の決戦《けっせん》か。クライマーと言ったら、オレとかぶっちまうなア」

と言ったのは、長い髪《かみ》をたばねるようにカチューシャをつけている東堂《とうどう》だ。

「かぶってねえよ、特《とく》にビジュアルが」

むすっとうで組みをしている新開《しんかい》がたしなめた。東堂は少しチャラいふんいきだ。

「かぶっているよ、特に真波は。今でもオレと女子ファンの取りあいになっているからな」

自信満々《じしんまんまん》な東堂の声が車内にひびいた。

……少し間があいて「なってねーーーよ」と、車内の全員が言った。

「こら、全員でツッコむなよ!! しかも、間を一拍《ぱく》、おいたらマジっぽいじゃねーか」

東堂は言い返したが、少しうぬぼれやのようだった。

和気《わき》あいあいとムダ話でもり上がっているうちに、

「おおっ、見ろよ! 黒田が引きはなしにかかったぞ、下りで差《さ》をつけるつもりか!」

と、だれかがさけんだ。

先に黒田がしかけた。

ふふっ。

まばたきもせずに福富《ふくとみ》はそのようすを見つめていた。

黒田は動いた。
しかし、真波《まなみ》は動かない。
なにか戦略《せんりゃく》があるのか。登りで勝負《しょうぶ》をかける気か……!?

黒田はペースを少し上げて真波を順調《じゅんちょう》にはなしていく。真波はただ引きはなされるままになっている。
福富《ふくとみ》は新人、真波の心の中を想像《そうぞう》していた。

おり返し地点をすぎて、うら通りの旧《きゅう》国道一号に入った。
ここからはずっと登りだ。
すでに真波からは黒田のすがたは見えない。
その差《さ》は一分か二分くらいか。残《のこ》り十キロ。

さぁ、どうする真波。

毎年部員数五十名以上《いじょう》をほこる箱根学園《はこねがくえん》自転車競技部《きょうぎぶ》の中で、一年生でレギュラーに選《えら》ばれた者は、いまだにいない。

金字塔《きんじとう》をうち立てるのか、真波。

そのヘルメットの下の表情《ひょうじょう》は、今、苦痛《くつう》か、それとも快楽《かいらく》か。

商店街《しょうてんがい》をぬけて、山道に入っていく。真波は、一定のリズムでペダルを回していた。

ハァ　ハァ　ハァ　ハァ　ハァ　ハァ　ハァ　ハァ
ハァ　ハァ　ハァ　ハァ　ハァ　ハァ　ハァ　ハァ

そして、この勝負《しょうぶ》を楽しんでいた。

ああ、この勝負、ギリギリだなあ、たぶんギリギリだ。

だけど、そういうの、好き。

五感を使って、体中の筋肉《きんにく》と神経《しんけい》を使って、風を切る。

戦《たたか》う相手がいて、それに打ち勝つために、あらゆる手段《しゅだん》と方法をつかって走る。

それって……、たまらなく、生きてるって感じがするんだ‼

真波《まなみ》の口元《くちもと》はうっすらとわらっているようだが、目は獲物《えもの》を追うケモノのようにギラギラしていた。

ジャマだ！

小さくつぶやくと、真波はレーシンググローブをはずしてポケットに入れた。

そして、手のひらで、ハンドルをぎゅっとにぎりなおした。

真波の動きは、森をかけぬける野生動物のようにしなやかだった。

アスファルトと、山の緑と、風の温度と、しめり気が五感につたわる。

自然《しぜん》さえ、味方にできそうなくらい、一体になっている。

楽しい……!!

これだから…………………、ロードレースは楽しいんだ!!

ダアアアン！　ゴォアアアアア！


「真波がペースを上げたぞ!!」

伴走車《ばんそうしゃ》がざわめいた。

「なんだ、いよいよ、動いたか」と荒北《あらきた》が身を乗り出した。

「でも、おいおい、待《ま》て、そのスピードで登るのか!?」

と東堂《とうどう》はおどろいた。

「…………………………!?」

福富《ふくとみ》はちんもくしたままだ。

真波が、みるみると追い上げていく……。

「あ、黒田をとらえた!!」

泉田《いずみだ》がさけんだ。

生きている感じ

追われる黒田はあせっていた。
ちっくしょオオオ、マジかよ!!

落ちつけ、落ちつけ……。ぬかれるはずはない。
こういうつづらおり※の坂は、オレがもっとも得意《とくい》とするステージ!!
ぬかれるはずはない、オレは登りの男!!
そんな黒田の自信をよそに、真波《まなみ》がぐんぐん近づいてきた。

※つづらおりの坂…くねくねと何度もまがって登っていく長い坂

「あーーー、真波が黒田にならんだ」

二台はデッドヒートとなった。

「ああ、黒田がラインをふさぐ！　たまらず真波が下がったぞ！」

真波が黒田をぬこうとするが、黒田が道をふさいでぬかせないのだ。

レースにおいて、追いつくのとぬくのとでは大きくちがう。使うテクニックもちがう。


それを見ていた福富《ふくとみ》は、目を見開いた。

さあて、どうする真波。どうやって追いぬく？

黒田の登りは実戦《じっせん》できたえた一級品だぞ。なかなかぬかせないぞ。

最初《さいしょ》のアタックがうまくいかなかった真波《まなみ》は、黒田のまうしろに位置《いち》を取った。

黒田のうしろタイヤと、真波の前タイヤがくっつきそうだ。もしもふれあおうものなら、二台ははじけ飛《と》んでしまう。そうなれば大事故《だいじこ》だ。


真波は、黒田のしりを目の前に見ながら、ぬく方法《ほうほう》を考えていた。


黒田先輩《せんぱい》、登りがうまいなあ。

力強いし、変速《へんそく》のタイミングもうまい。

ダンシングにもムダがない。けど……。


「すいません、たぶん、つぎの直線でぬきます」

黒田に聞こえるような声でそう言った。

‼　黒田はビクッとしてふり返った。真波はわらっていた。

なんだ、心理戦《しんりせん》か。

そうはさせるかよ！

そうつぶやくと、黒田はロケットに点火‼　また引きはなしに出た。

「黒田が先に動いた！　真波がなにか言ったのか」

伴走車《ばんそうしゃ》の中がわいている。

「いや、動くぞ」

「真波が動くぞ！」

「真波はぬく気だ、どうやって？」

福富《ふくとみ》は、ふと、まどの外、道路に落ちていた葉っぱが風でうくのを目にした。

なんだと⁉
真波《まなみ》……。
福富《ふくとみ》がなにかをさっしたようだ。
能面《のうめん》のように表情《ひょうじょう》を変えなかった福富《ふくとみ》の口元《くちもと》がゆがんだとき……真波は自転車の上で冷《れい》静《せい》につぶやいた。

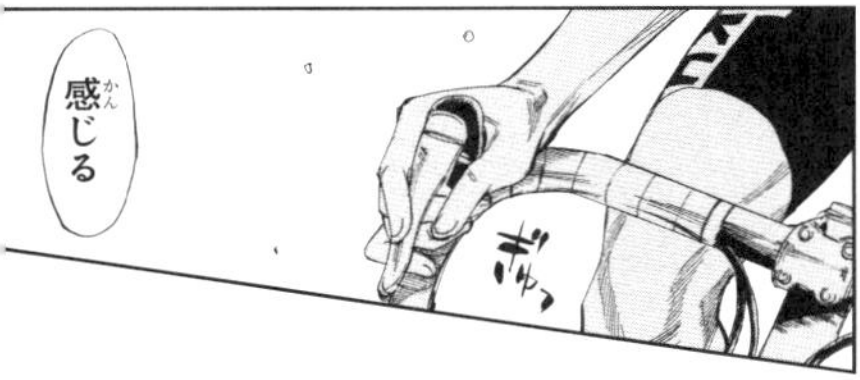

「感じる。
来る。
今だ……‼」
つぶやくやいなや、スパートをかけた。

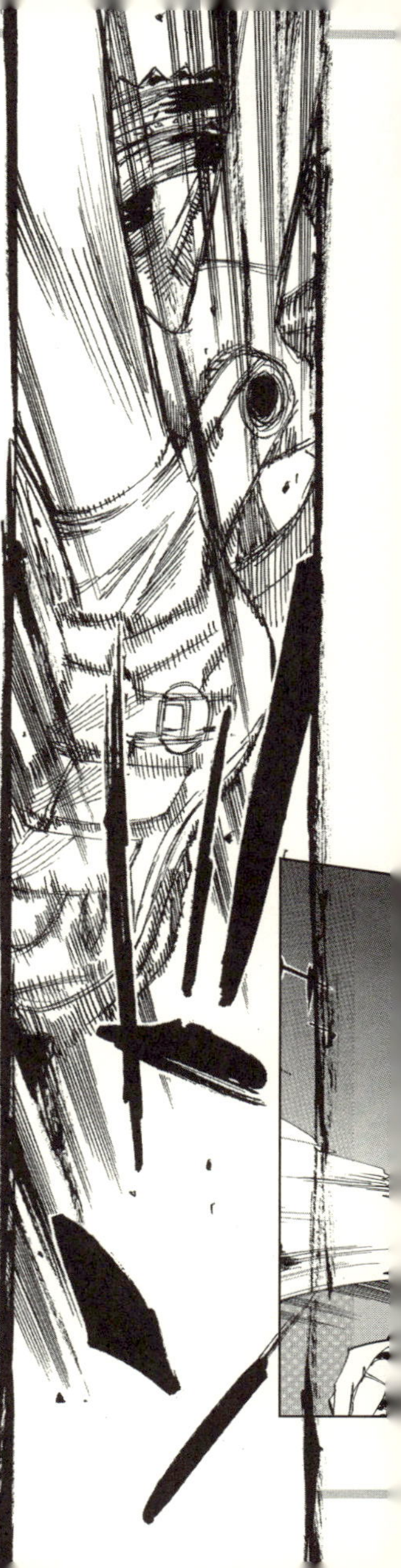

そこへ、丘《おか》のふもとから一陣《いちじん》の風が坂をふき上がってきた。
ヒュ――――――ウッ、バサバサバサバサバサ〜!!
木々の葉がはげしく音を立てた。
福富はおどろいた。

風だと!
真波、風をよんだのか!
おまえは、自然の力さえ味方につけてペダルを回すのか!!

真波《まなみ》はその風にあわせてスパートした。風が背中《せなか》をおして、スピードが上がる。
そのすがたは、背中にはねが生《は》えて、スゥワ——っと飛《と》んだかのようだった。

ゴアああああああああああ——

黒田は、なすすべもなくぶちぬかれた。

……いっしゅん、……つばさが見えた…………!?

真波の決めぜりふが、森にとどろいた。

「オレ……、生きてる!!」

伴走車《ばんそうしゃ》の中は、先ほどまでと打って変わってシーンと静《しず》まり返った。

「追い風のタイミングにあわせて変速《へんそく》して、加速《かそく》をかけた」と福富《ふくとみ》は心底《しんそこ》おどろいた。

「ヒュー。風に気づかず、おくれた黒田はおいてきぼり……か」と荒北《あらきた》はかたまった。

「………………」、黒田を応援《おうえん》していた泉田《いずみだ》は声も出なかった。

真波《まなみ》の野生の走りは、先輩《せんぱい》たちをだまらせたのだった。


勝負《しょうぶ》あった。


決戦後《けっせんご》、『月刊《げっかん》サイクリング』の取材《しゅざい》が来た。前年度王者なので、マスコミがマークしているのだ。主将《しゅしょう》の福富が自信満々《じしんまんまん》のしまった表情《ひょうじょう》でインタビューに答えた。

「きょう、六人目が決まりました。はっきり言って、箱根学園史《はこねがくえんし》上最強《じょうさいきょう》です。

残念《ざんねん》ながら今年のインターハイでは、わたしたちはだれ一人、よせつけることなくフィニッシュするでしょう」

ビデオ研究会

一方、千葉県《ちばけん》では――――。

ピンポーン

鳴子《なるこ》が大豪邸《だいごうてい》のよび鈴《りん》をおそるおそるおした。
そのうしろには、今泉《いまいずみ》、坂道、田所が立っている。

「よォ、きたか」

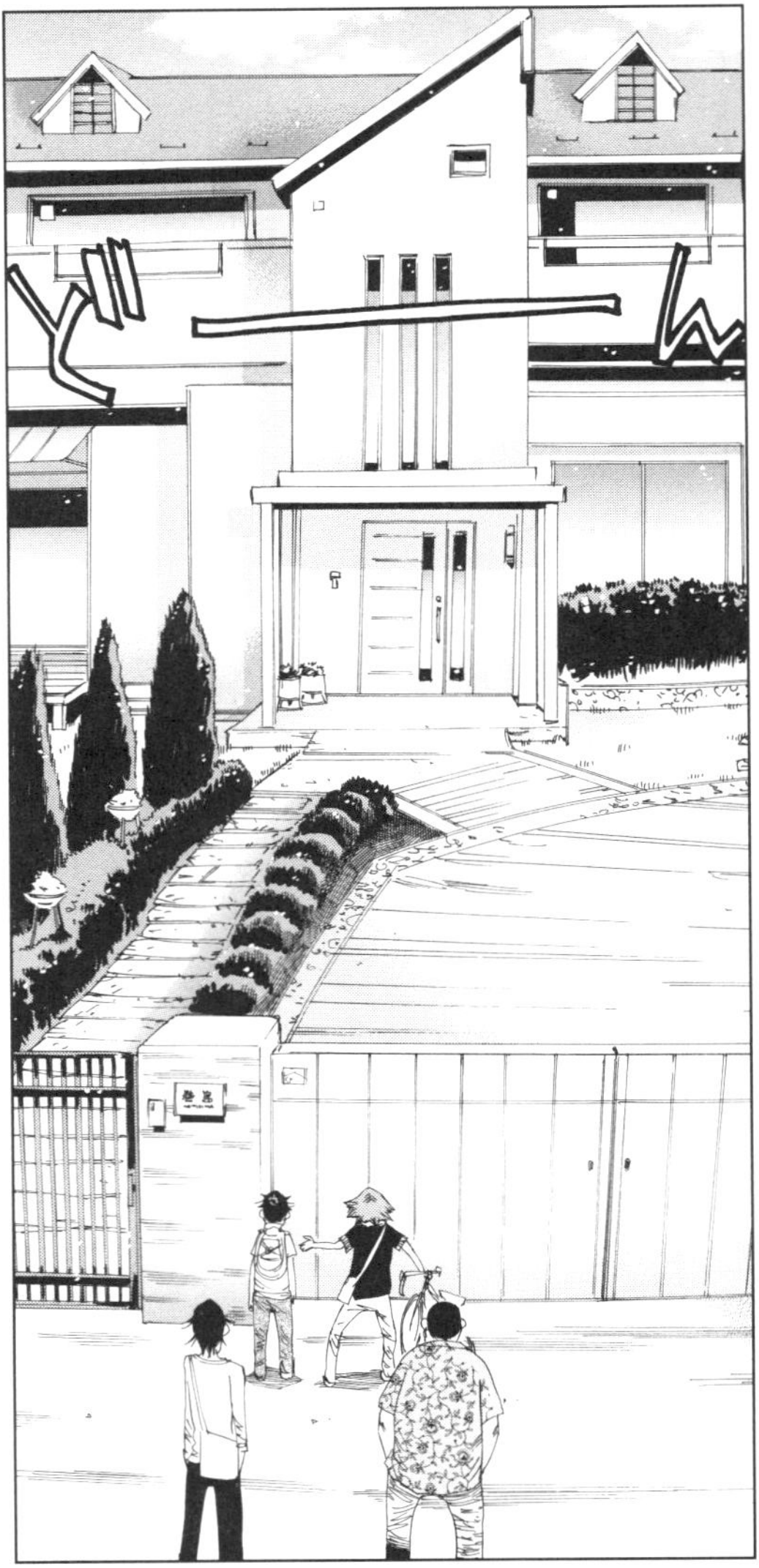

「なんやねん、この大豪邸《だいごうてい》は！　っちゅーか、なんやねん、その服は！」
門が開《ひら》いて出むかえたのは、巻島《まきしま》だった。
巻島は緑と黄色のストライプのはでなシャツを着ていた。首にはゴールドのネックレス。
その個性的《こせいてき》なセンスに、みんなのけぞった。

「勝手に家のモノをいじったら、死刑《しけい》だぞ」

開口一番《かいこういちばん》、巻島はふきげんそうにボソッとつぶやくと、四人を家にまねき入れた。

「死刑って！」と鳴子《なるこ》がぶつくさ言うもつかの間、「なんかねェか」とズカズカと台所に直行した田所が冷蔵庫《れいぞうこ》を開《あ》けて、勝手にハムを食う。

「ハイ、そこ、死刑ーーーー!!」

巻島が指をさした。

「いいだろ、金持ちなんだし」

「カンケイないっショ、そういうことじゃないっショ！」

一年生三人はキョロキョロしていた。

「バレーボールができるくらい天井《てんじょう》が高いやん」と鳴子。

「この台所、オレんちより広いかも！」と今泉《いまいずみ》。

「フィギュアの置《お》き場所にこまらない！」と坂道。

ともかく、みんなは二階の巻島《まきしま》の部屋に入った。

「ところで田所さん、きょうはビデオを見るって、いったいなんのビデオを見るんですか?」

と今泉《いまいずみ》がたずねた。

「ツール・ド・フランスや、ロードレースの映像《えいぞう》なら、うちにもたくさんあるんですが」

今泉はレースビデオをたくさん持っているのだ。

「フン、そういうんじゃねーさ。もっとレースに役立つビデオだ」

と田所が言った。

「てゆーか、なんでオレんちなんだよ。部室でいいっショ、部室で‼」

と巻島が文句《もんく》を言うと、田所が答えた。

「部室のテレビは小せぇだろ、こういうのはでかいほうがいいんだよ。すみずみまで見なきゃいけねぇからな。さぁ、ようく見ろよ」

ガシッ。

スイッチを入れた。人が走っている映像がうつし出された。

「なんや? ツール※とかジロとかの世界レースのビデオかと思ったけど、ちゃうんか」

※「ツール・ド・フランス」、「ジロ・デ・イタリア」などの自転車レース

と鳴子《なるこ》が食《く》いついた。

パッと画面にレース中の選手《せんしゅ》がうつし出された。

「マラソン……?」

「ってこれ、自転車ちゃうやん。足で走ってるやないスか」

「ガハハハハハハ!」

田所は豪快《ごうかい》にわらいとばすと、「よく見とけ。とくに足もとだ。ロードレースは道との戦《たたか》いだ。このビデオはマラソンじゃない。〝駅伝《えきでん》〟だ! 箱根《はこね》駅伝だ」と言った。

箱根駅伝とは、正月の二日と三日、大学対抗《たいこう》で東京は大手町《おおてまち》から箱根の芦ノ湖《あしのこ》までを往復《おうふく》する超長距離競走《ちょうちょうきょりきょうそう》だ。田所が説明《せつめい》した。

「このビデオは、四区と五区の映像だ。オレたちは今年のインターハイで、そっくり同じコースを走る」

アナウンサーの声が聞こえた。

「さぁ、この先は斜度《しゃど》六パーセントの山道、心臓《しんぞう》やぶりの屈指《くっし》の難所《なんしょ》です」

タスキをかけた学生ランナーが苦しそうな表情《ひょうじょう》で走っているのがうつっている。

オレたちは……ここを走るのか……。

予習《よしゅう》とイメージトレーニングをかねて、田所はビデオ観《かん》賞会《しょうかい》を開いたのだった。そこからは、みんなだまってビデオを見続《みつづ》けた。


終わると、巻島《まきしま》が口を開いた。

「ドーヨ？」

いつの間にか、一年生三人は食《く》い入《い》るように見ていた。

巻島が解説《かいせつ》を始めた。

「箱根《はこね》は難所《なんしょ》だ。足で走るにも、自転車で走るにも。

小田原《おだわら》までの平坦《へいたん》区間が終わって、海抜《かいばつ》ゼロメートルから、一気に八百三十四メートルをかけ上がる。道は古いし、はばも広くねぇ。視界《しかい》も悪いから状況《じょうきょう》もわかりづらい。けど、そこをオレたちは戦《たたか》いながら登らなきゃなンない」

坂道は、一生懸命《いっしょうけんめい》、その道をイメージしようとした。まったく知らない道をレースするってどういう感覚《かんかく》なのだろうかと。

巻島の話は続《つづ》いた。

「パンク、機材《きざい》トラブル、のみ物の補給《ほきゅう》切《ぎ》れ、急勾配《きゅうこうばい》、風……。さまざまな条件《じょうけん》の中を何時間もかけて走らなきゃならねェ。夏に……真夏の太陽の下で、敵《てき》と戦いながらだ」

ひぇ〜、聞いているだけでたいへんそうだ、と坂道は思った。

田所が言った。

「だから、コースを知っておくことは重要《じゅうよう》なのさ。敵に負けるんじゃなくて、〝コースに負ける〟んじゃ話にならねーからな‼」

敵《てき》とコース。
ロードレースは、この二つと戦《たたか》わなければならないのか。
坂道の心中を見すかしたかのように、巻島《まきしま》が言った。
「敵の数は箱根学園《はこねがくえん》をふくめて約《やく》二十校、一校六人だから、百二十人!!!
敵の数は百二十人!!
こんなスポーツ、ほかにはねェ!!」
坂道は言葉を失った。
百二十……。
これまでのボクは、一年生レースや、千キロ合宿での戦いしか経験《けいけん》がない。
そのときは、四、五人で走っていた。なのにいきなり、百二十人!!

「わかったか。箱根の頂上《ちょうじょう》までの道がどんだけ遠いか」

三年生の二人がジロリと一年生を見つめた。

今泉《いまいずみ》と鳴子《なるこ》は、みるみる顔が引きしまった。坂道は、このきんちょうした空気にたえきれずに、手をバタバタ動かしながら大声を出した。

「あ……でも、あの、全力で、全力を出しきれば……！　みんなで協力して……みんなで全力を出せば、だいじょうぶですよね!!」

ところが、「ダメだ」と、ぴしゃりと巻島が否定《ひてい》した。

「ど……どうしてですか。最後《さいご》の一てきまで力をふりしぼって……」

坂道が最後まで言い終わらないうちに、巻島が「どうしてもだ」と聞く耳を持たずに否定した。

そして、手もとにあったジュースのかんを三つ、ゴトッとつみあげた。

「インターハイのレースは三日あるんだ。
連続《れんぞく》三日間！
箱根《はこね》は初日《しょにち》だ。初日で全力を出して
しまったら、あとがもたねェッショ！」

……………三日間。

坂道は頭がまっ白になった。

巻島《まきしま》は、坂道に教えるようにゆっくりとしゃべった。

「だから、体力を使いきらないように走らなきゃならない。ペースをまちがえたり、がんばりすぎたりすると、落車《らくしゃ》して大ケガする。
去年の広島《ひろしま》大会の箱根学園《ハコガク》・福富《ふくとみ》のようにな」

「あのときは、それに金城《きんじょう》もまきこまれて落車した」

田所が遠い目をしてつぶやいた。

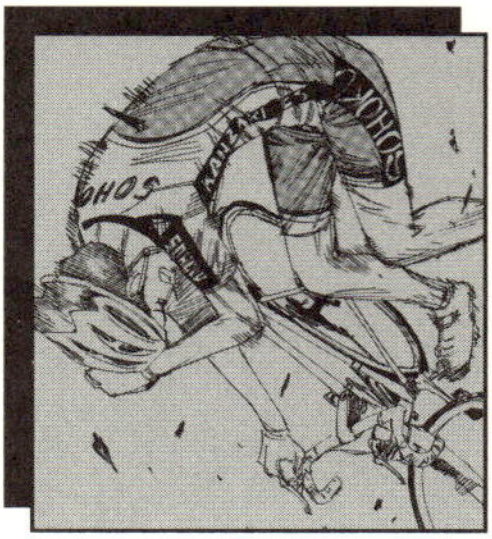

そんな話は知らなかった。一年生三人はおどろいた。
田所は話を続《つづ》けた。
「金城は……、あばら骨《ぼね》が何本か、おれながらなんとかゴールしたが、エースがいなくなったオレたち、総北《そうほく》は惨敗《ざんぱい》した」
巻島も去年を思い出すように語った。

「箱根学園《ハコガク》は見事に※ワンツースリーフィニッシュ。そりゃそうだ、六人ともエースだからな」

部屋は静《しず》まり返った。

巻島は、一年に言い聞かせた。

「だ〜か〜ら〜、オレたちは負けるわけにはいかねェのヨ‼」

田所が言った。

「一年、ビデオをダビングしておいたぜ。すり切れるまで見て、頭にたたきこんでおけ！」

「はい‼」と今泉《いまいずみ》、鳴子《なるこ》、坂道は声をあわせて返事をした。

※ワンツー（スリー）フィニッシュ…同じチーム（国）などの選手が１位、２位をしめること。ここでは３位までを箱根学園がしめたのでワンツースリーフィニッシュ

帰り際《ぎわ》、坂道は気になっていたことを、ふと巻島《まきしま》に聞いた。

「ところできょうは、部長さんは……どこに？」

「金城《きんじょう》か。あいつなら、トレーニングをかねた下見だ。スタート地点のな」

「スタート地点？」

「この夏のインターハイのスタート地点、神奈川県《かながわけん》の江ノ島《えのしま》だ」


ゴクリ、と坂道はつばをのみこんだ。


いよいよ、本番のインターハイがせまってきた――――。

それにしても、去年のレース、金城さんと箱根学園《はこねがくえん》の間になにが起きたのだろう――――。

第三章　あの夏の金《きん》城《じょう》真《しん》護《ご》

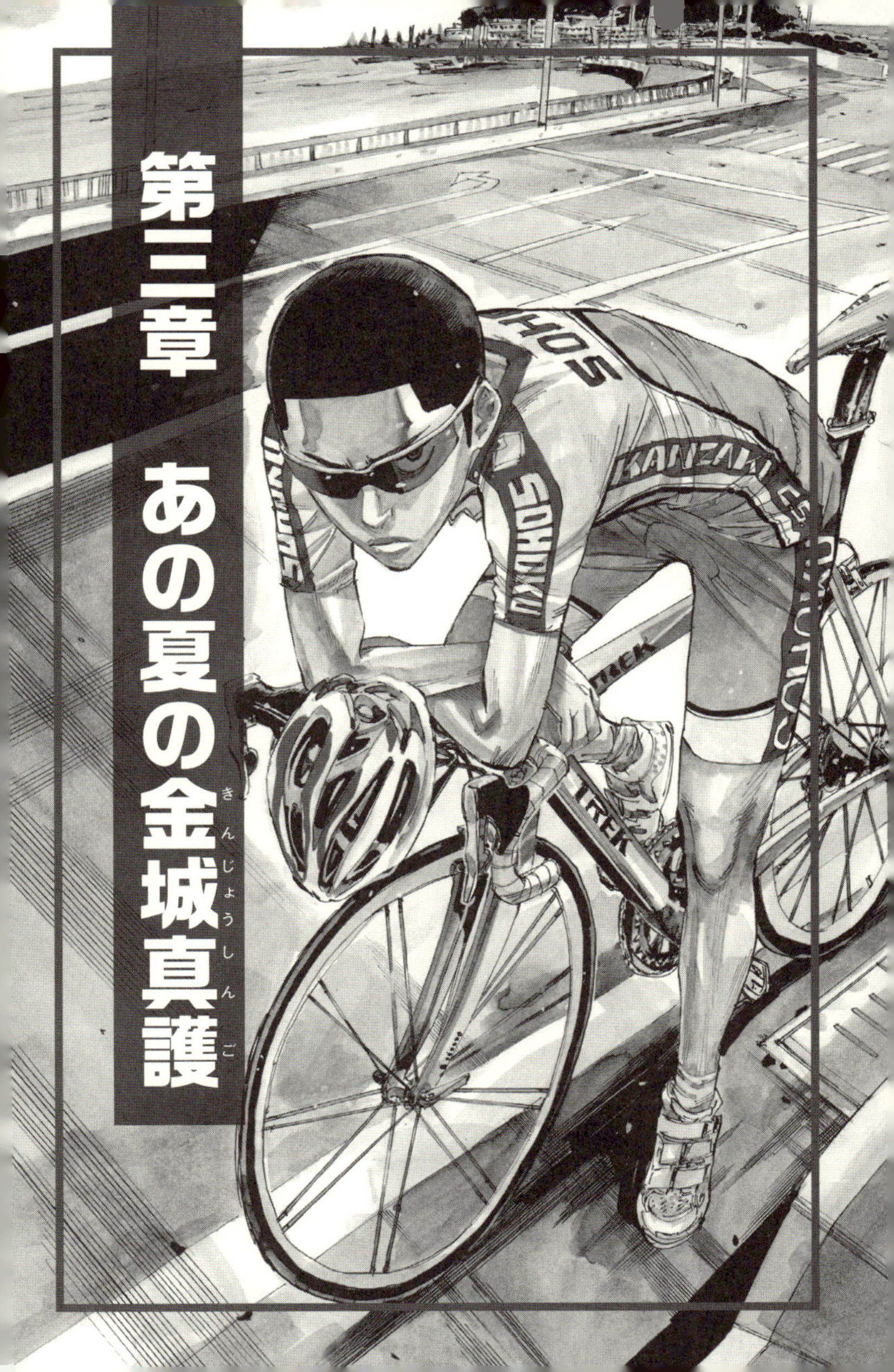

箱根《はこね》学園《がくえん》の福富《ふくとみ》

「暑かったな……去年も……」

金城《きんじょう》はしたたるあせをふきとった。

千葉《ちば》から東京を横断《おうだん》し、神奈川県《かながわけん》の江ノ島《えのしま》まで自転車で走ってきた。練習用のジャージにいつものサングラス。

インターハイを前に、今年のスタート地点となる、江ノ島までやってきたのだった。

ちょうど一年前。

インターハイの舞台《ぶたい》は、広島県《ひろしまけん》だった。

金城は、あの〝悪夢《あくむ》〟のようなレースを思い出していた。わすれたくてもわすれられない、にがい思い出だ。

その〝事件《じけん》〟は、男子ロードの二日目。通称《つうしょう》第二ステージで起こった。

インターハイは真夏に行われる。

炎天下《えんてんか》での二日目ともなると、暑さと疲労《ひろう》ときんちょうで、つぎつぎと脱落者《だつらくしゃ》が出る。

金城は快調《かいちょう》なペースで、うしろの集団《しゅうだん》を五分ほど引きはなして、全体の二番手で、前を行くトップの選手《せんしゅ》を追いかけていた。

レースは、ゆるやかな勾配《こうばい》の山道にさしかかろうかというところ。

右前方に「補給所《ほきゅうじょ》」の簡易《かんい》テントが見えてきた。

金城がテントに近づくと、後《こう》輩《はい》たちが手をのばしているのが見えた。

「金城さん!!　水とボトル……保給食《ほきゅうしょく》です！」

当時一年だった手嶋《てしま》と青八木《あおやぎ》が、金城《きんじょう》にカバン（サコッシュ）をわたした。中には水と小さなビスケットが入っている。自転車レースではこぎながらのみ、こぎながら食べる。体の中をエネルギーで満《み》たさないと、ぶったおれてしまうからだ。

金城があっという間に通りすぎていった。

うまくカバンをわたせた手嶋と青八木は、役目をはたしてホッとした。

「金城さん……このまま、いってくれよ……!!」

二人は金城の活躍《かつやく》をいのるように見送った。

金城は、水のボトルのふたをあけると、そのままヘルメットの上から頭にバシャアと水をぶっかけた。冷《ひ》やさなければ、焼《や》きついてしまうほどの暑さだ。

ハッ、ハッ、ハッ、ハッ、ハッ

あいつをぬけばトップ。うまくやればとれる。

目の前には、箱根学園《はこねがくえん》のエース福富《ふくとみ》のすがたがある。追いかけてきて、ついにとらえた。この第二ステージで優勝《ゆうしょう》すれば、これを足がかりに総北《そうほく》悲願《ひがん》の総合優勝《そうごうゆうしょう》が見えてくる！

「おそらく、うしろの集団《しゅうだん》は追ってはこられない」

あとは前の福富をとらえるだけ、と金城がペースをあげた。二人の一騎打《いっきう》ちだ。

黄色いジャージが近づいてきたことに気がついた福富がふり返り、金城に向かって声を出した。

「よく……ついてこれてるな、総北《そうほく》……」

「！」

「一日目のはげしい登りでもう息たえたかと思ったが、それでも追ってくるとは……金城《きんじょう》……だったか、たいしたもんだな」

福富《ふくとみ》の声は思いのほか、落ちついていた。この暑さの中でずっと先頭を走り続《つづ》けているのに、大きなダメージはないようだ。

そればかりか、すぐそばまで近づいてきた金城に、えらそうな態度《たいど》でささやきかけた。

「金城、どうする……残《のこ》り三十五キロ。おそらく、オレたち二人の勝負になるだろう。外から見れば、な。おまえは、この第二ステージをがんばって勝って、いきおいにのって第三ステージで総《そう》合優勝《ごうゆうしょう》をねらう、そんな計画か？」

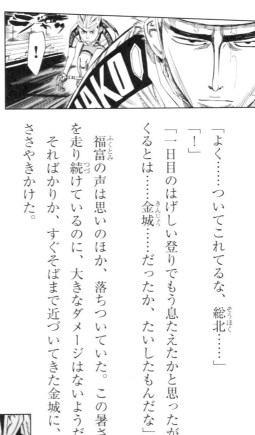

福富は足を回し、ペースを変えない。息をみだすことなく、しゃべっている。
金城は心を見すかされたような気がして、ほおをピクッとゆがめた。
「安いプランだな」
福富はギロッとするどい目で金城をにらんだ。そして、ささやいた。
「おまえ、きのうきょうとこのインターハイを走ってみて、どうだ。どう思ってる？
つらいか？　過酷《かこく》か？」
金城はなにも答えずに、ただただしゃにむにペダルをふんだ。
福富ははっきりとした口調《くちょう》でこう言った。
「オレは、『なんだ、たったこれだけか、インターハイは
つまらないな』という印象《いんしょう》だ」

金城《きんじょう》はおどろいた。気持ちがおされた。

「オレはあにきもロードレースをやっている。親父《おやじ》もロードレースの選手《せんしゅ》だ。二人とも箱根学園《はこねがくえん》の出身で、親父は部を作り、初優勝《はつゆうしょう》にみちびいた男だった。オレは練習につきあわされた。四日連続《れんぞく》、千キロ、二千キロ走るなんて当たり前だった。だからな……」

いったいなにが言いたいんだ？　と金城は思った。

「だから、オレはこのレース、きのうから、敵《てき》がいないと思っていたんだよ。集団《しゅうだん》の中で、オレのペースにようやくついてこれてるようなヤツは、しょせんは散《ち》るレベルだ」

自信《じしん》がありすぎる福富《ふくとみ》の言葉に、金城は息をのんだ。

「金城よ」

福富は話を続《つづ》けた。

「おまえは自《みずか》ら、自分のことを強いと断言《だんげん》できるか？」

シャ——ン　シャ——ン　シャ——ン　シャ——ン

シャ——ン　シャ——ン　シャ——ン　シャ——ン

高速《こうそく》で走る二台の自転車のタイヤの回る音が、輪唱《りんしょう》のように森にこだましている。

金城は福富からおくれまいと必死《ひっし》だ。肺《はい》が、心臓《しんぞう》が、限界《げんかい》まで動いているのを感じる。

だが、福富は平気な顔で走り、しゃべってくる。

「金城よ、インターハイのルールはかんたんだ。

もっとも短い時間で、初日《しょにち》の第一ステージ、二日目の第二ステージ、三日目の第三ステージを走り切り、一番はじめにゴールにたどり着いた〝学校〟の勝利《しょうり》…………!!

チーム戦《せん》だからな。一人を勝たせるために散《ち》るヤツもいるということだ。だが、もっとも究極《きゅうきょく》に考えれば…………」

そこまで言うと、福富《ふくとみ》は変速《へんそく》レバーをゴリッとおしこみ、ギアをさらに一段《いちだん》重くした。

「一人でも強いヤツがいれば、優勝《ゆうしょう》はできる‼
悪いな金城《きんじょう》、オレは強い‼」

そう言うやいなや、福富は加速《かそく》した。一気に金城との差《さ》が開く。

福富の声が遠くになっていく。

「箱根学園《はこねがくえん》の作戦《さくせん》は、〝待《ま》ち――――〟。

集団《しゅうだん》が来るのを待って、総北《そうほく》高校のエースをマークしてつかれさせろと言われている。

だが、それはオレの役割《やくわり》ではない。

知っているか。散《ち》っていった者は優勝者のリザ

ルトに名前が残《のこ》らない‼」

そう言い残すと、福富はあっという間に二十メートルほど、金城を引きはなした。

金城が来るのを待ち、追いついてぬかよろこびさせたところでスパートする〝待ち〟の作戦だ。追いつくために飛《と》ばしてつかれが出た金城には、心理的《しんりてき》にも肉体的《にくたいてき》にもつらい。

これはまさに、金城にプレッシャーをあたえる作戦だったのだ。

石道《せきどう》のヘビ

金城は、グローブで顔のあせをぬぐった。

「一人で優勝か……福富」
金城はグローブについたあせを、シャッと道にふりはらった。アスファルトに落ちたあせはじゅっと蒸発《じょうはつ》した。

「オレのやり方とはちがうな」
福富《ふくとみ》のセリフでスイッチが入ったかのように、金城《きんじょう》の瞳《ひとみ》はギラギラに燃《も》え始めた。かくしロケットに点火《てんか》したかのようにペースは上がり、たちまち二十メートルの差《さ》がちぢまった。

金城は福富のまうしろに、ピタッとくっついた。

福富はふきげんそうに眉根《まゆね》をよせた。

「なんだ……また来たのか。完全《かんぜん》につかれきっているのかと思ったが……」

今度は金城がしゃべる番だった。

「ああ、オレはつかれてる。この暑さと長いレースでな。

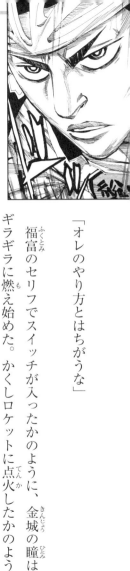

だが、オレは散《ち》っていった者の思いをのせて走っている‼

オレは一人で走っているわけではない‼」

「なんだと……‼　つまらん理屈《りくつ》だな。それでは五分ともたない‼」

二人の完全なデッドヒートが始まった。近づきすぎて、車輪《しゃりん》があたりそうだ。

カーブにさしかかった福富が体をたおして、むだのない最短《さいたん》ラインをとれば、金城もスーッとそのかげに入ってついていく。

シャ──ン　シャ──ン　シャ──ン　シャ──ン
シャ──ン　シャ──ン　シャ──ン　シャ──ン

右コーナー、そして左コーナーからのまた右コーナー。

小きざみなカーブが続《つづ》く山道。金城はかげのようにピタリと福富についた。

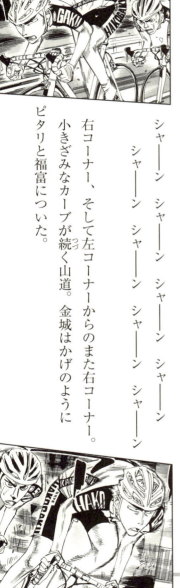

福富《ふくとみ》のよゆうが少しずつなくなっていく。金城《きんじょう》は不敵《ふてき》なえみをうかべた。
「ふふふ、なぜついてくる……という表情《ひょうじょう》だな、福富。
オレはそうかんたんには引きはなされないさ……一度はりついたらな……」
そこまで言うと、金城は大きな声を出した。
「おぼえておけ………。オレは金城真護《しんご》。
あだ名は、〝石道《せきどう》のヘビ〟
どこまでも食《く》らいつく、あきらめない男だ‼」
福富はふきげんそうな顔になり、くちびるを真一文字《まいちもんじ》に結《むす》んだ。

そのころ、総北《そうほく》高校の選手《せんしゅ》ひかえ室では後輩《こうはい》たちが実況放送《じっきょうほうそう》に耳をかたむけていた。

「先頭は総北高校 金城選手《せんしゅ》と箱根《はこね》学園《がくえん》 福富選手です。残《のこ》り三十五キロ……」
「よっしゃあぁ!! いけるぞ、がんばってください、金城さん!!」とわき立った。

格《かく》がちがう

レースは佳境《かきょう》に入っていく。
二台の自転車はもつれるように、真夏の森の中を通りぬけていった。

まだ、ついて来やがる……。
気温三十五度……。
湿度《しつど》二十九パーセント……。
路面温度六十度……。
山間から谷間へ、時おりふきつける向かい風……。

暑さ……。

疲労《ひろう》……。

長い百十キロの第二ステージを八十キロ走ってきたこの状況《じょうきょう》で

このオレに、この男、まだ、ついてくる……。

福富《ふくとみ》は金城《きんじょう》のことを、これまでの自分のレース人生で見たことのない選手《せんしゅ》だと思った。

ハァ　ハァ　ハッ　　ハァ　ハァ　ハッ　　ハァ　ハァ　ハッ

福富には、金城の息づかいが、はっているヘビの息のようにぶきみに聞こえていた。

たいした男だ、金城………。

残《のこ》り二十五キロになったところで、福富が突然《とつぜん》、うしろをふり返り、口を開いた。

「ロードレースにおいて、もっともだいじなことはあきらめないこと、――ついていくこととと言っていい。

どんなにすぐれた選手《せんしゅ》でも、最後《さいご》にゴール前にいなければ、優勝《ゆうしょう》は得《え》られないのだからな。だけど、それは選《えら》ばれたごく少数の人間のこと――教えてやろう、金城」

そこまで言うと、福富の顔がおにのように変わった。

「世の中には格《かく》のちがう人間がいるということを」

そう言うやいなや、ギアチェンジ！

さらに一段《いちだん》重くして、ぶっとい太ももでペダルをふみしめた。

「なんだと、まだ加速《かそく》するのか、福富《ふくとみ》ィィィ‼」

ガッチュン

金城《きんじょう》も負けじと、ギアを上げる。
エンジンの大もとである太ももが、悲鳴《ひめい》をあげそうになっている。

「うっく！」

金城がいっしゅん、目を閉じた。
ゴォーと向かい風。
自分の体がパラシュートのように風をはらんで前に進むのをこばむ。思わず前傾姿勢《ぜんけいしせい》を深くした金城がふたたび目を開《あ》けると、信《しん》じられない光景《こうけい》があった。

強い信念《しんねん》

ようやく力つきたか……金城。

「むむ！　なんだと福富……!?
この向かい風の中を………ものともしない
戦車《せんしゃ》のように加速していく!!

金城はどんどん引きはなされていく。

福富の自転車の走行音《そうこうおん》が聞こえなくなった。
手をのばしてもとどかない、きりの向こうに消えていくように思えた。

トップを快走《かいそう》する福富《ふくとみ》は、川ぞいを走っていた。もう金城《きんじょう》のすがたは見えない。

よし、ちぎった。


この第二ステージは、川ぞいを上流に向かって走る。つまりコースのほとんどが登りだ。

くわえて、この向かい風。ゆるい登りと向かい風は体力をうばう……!!

じょじょに肉体《にくたい》は疲労《ひろう》して、悲鳴《ひめい》をあげる。

そして、肉体をささえる精神《せいしん》もおれる……。

でも金城、はじることはないさ。

このきびしい条件《じょうけん》の中で〝あきらめない〟ということは、むずかしい。


福富は、トンネルに入っていった。

走行音《そうこうおん》がトンネル内にこだまする。

シャ――――シャ――――シャ――――
シャ――――シャ――――シャ――――

む！　こだまではない。
もう一台いる。
それもすぐそばに。
真横に!!!

黄色いかげ、
石道《せきどう》のヘビ!!

「ほう、本当にあきらめないな……」

ここまでしぶといレーサーにははじめて会った。だが、金城《きんじょう》の表情《ひょうじょう》は見るからに苦しそうだ。口が開き、大きく息をしながらこいでいる。まもなく、生命《いのち》がつきそうに見える。

福富《ふくとみ》はさとすような声で金城に話しかけた。
「だが、残《のこ》り二十キロ、そんな走りで最後《さいご》までもつのか。
ゴール前の八キロは強烈《きょうれつ》な登りが待《ま》っているぞ……。
あえて言おう、その疲労《ひろう》した肉体《にくたい》では対応《たいおう》できない!!
おまえがオレに追いつくことはできない!!」
そう言いはなつと福富はスパートした。
あっという間においていかれる金城。
「追い……つくさ!!」

金城はすごい形相《ぎょうそう》で追いかけた。息もたえだえだ。

シャ―――　シャ―――　シャ―――

ハァ　ハァ　ハッ　ハァ　ハァ　ハッ　ハァ　ハァ　ハッ

金城はあせまみれの顔だった。
福富はあきれ顔だ。

「つまらんな……、この茶番《ちゃばん》……」
金城は顔を上げることができず、うつむいたままひたすらにこいでいた。
トドメをさそうとするかのように福富はささやいた。

「聞こえなかったか。オレはあきらめろと言ったんだ。
どうせ、その体力ではゴールまでもたない。

オレに追いつくためにムダな体力を使うより、後方に下がって明日のために温存《おんぞん》したほうがいいんじゃないか、という親切なアドバイスだ」

シャ――　シャ――　シャ――

　　シャ――　シャ――　シャ――

　　　ハァ　ハァ　ハッ　ハァ　ハァ　ハッ　ハァ　ハァ　ハッ

「ほら、もう口もきけんか、ならばーーー」

福富《ふくとみ》がさらになにかをささやこうとしたときに、金城《きんじょう》がでかい声でさえぎった。

「オレはーーーーーー」

金城はぐいと顔をあげて、福富の目をにらんだ。

「オレは、総北《そうほく》を優勝《ゆうしょう》にみちびくために走っている。ここでおまえとのタイム差《さ》をひろげるつもりはない!!」

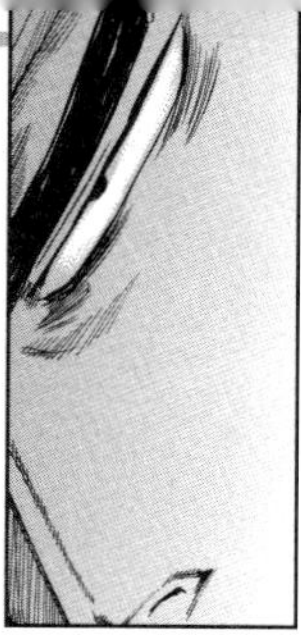

生命力《せいめいりょく》の強いヘビだ。
福富は冷《ひ》ややかな目で金城を見やった。
金城の〝戦闘宣言《せんとうせんげん》〟は続《つづ》いた。

「そのために、過酷《かこく》な練習にたえ、すべての時間を自転車にそそぎ、ここまできた‼　第二ステージの残《のこ》り十五キロ。チームメイトがオレをここまで運んでくれた。オレは、一人で優勝を目指しているわけじゃない」

「そういうのが茶番《ちゃばん》だと言ってるんだ」
福富が言葉をかぶせるようにさえぎった。そして、イライラしながら、金城に言い聞かせるように言葉をつなぐ。

「レース中、敵《てき》をしりぞけて前に出るときに、ゴール前のスプリントで勝利《しょうり》を勝ち取るときに、たよりになるのは……なんだ?
地面をけり、前に進めるのは、だれの力だ。

――自分の力だ。
オレは何度もむりだと言われたタイミングで飛《と》び出して
優勝《ゆうしょう》してきた。
アシストの役回りだった試合《しあい》で、トップゴールを決めて
みせたこともある。
だれの力もかりずに、だ。それが真《しん》の強さだ。
下がれ、金城《きんじょう》。おまえの肉体《にくたい》はもう限界《げんかい》だ。
むりする必要《ひつよう》はない。息もあがっている。うしろから……見ていろ」
ガチャン。また変速《へんそく》。
福富《ふくとみ》の変速がうなりをあげる。
「オレは、王者の中の王者になる。
だれもよせつけない‼」

加速《かそく》―――。
しかし、黄色いかげも同時に変速して加速した。
「オレは、下がれと言ってるんだよ‼」
福富はおこった。
金城は冷《さ》めていた。
「福富よ、足がついているかぎり、ペダルを回すさ。
目の前に敵《てき》がいれば、追うさ。
この足にはみんなの願《ねが》いがつまっている……。
オレ一人の意思《いし》だけじゃ、止められんよ」
金城は自分の足をパシンとたたいた。
そして、続《つづ》けた。

「オレはあきらめない。車輪《しゃりん》がゴールラインをこえる、そのしゅんかんまでな」

ふり返った福富《ふくとみ》の目がするどく光った。

「うるさい、金城《きんじょう》ぉぉぉぉぉおおおおおおおおおおっ!!!」

残《のこ》り八キロの看板《かんばん》を通過《つうか》した。

体がくだけそうだ……。

福富には、大見得《おおみえ》を切ったものの、自分の体がボロボロになってきていることを金城は感じていた。

ハンドルを持つ握力《あくりょく》は……もうほとんどない………。

足もキテるな……もう自分の足じゃないみたいだ……。

たぶん体重も……スタート前より、四、五キロは落ちている……はず……。

シャー　シャー　シャー　シャー　シャー　シャー

金城には、前を行く福富のしりが見えている。
登りに入って、二人とも立ちこぎになった。ダンシング！

残り五キロの看板。
金城は、自分で自分をふるい立たせた。

オレはこのステージをとる。
登りでは、巻島《まきしま》が力つきるまでペダルをふんで、道をひらいてくれた。
平坦道《へいたんどう》では、田所《たどころ》や三年の先輩方《せんぱいがた》が限界《げんかい》まで回してオレを引っぱってくれた。

オレは……エース。
エースの仕事は、みんなの想《おも》いをゴールまでとどけること。

だから、この足を止められない。
体がバラバラになっても
オレは最初《さいしょ》にゴールする‼

ついに、二台が、ならんだ⁉

落下《らっか》

ガチュン。
福富《ふくとみ》、変速《へんそく》。
いっしゅん、ならんだ金城《きんじょう》を、福富がまたはなす。

さすがの福富も息があらくなってきた。

こいつ……!! 今、オレをぬこうとした……!!

このオレを……!?

「くそぉッッッッ」

なんだこいつ。なんで峠《とうげ》に入ってもペースが落ちないんだ。

オレに言わせれば、ペダリングもフォームもまだまだ。

こいつていどの実力のヤツはゴロゴロいる。

今まで何人もけちらしてきた。

だが、なんだこいつは!?

今までこんなしつこいヤツは会ったことがない。

ガチャ、ゴリッ
福富《ふくとみ》の自転車から音がもれた。
しまった。シフトミスだ。
……オレはあせっているのか。いやそんなはずはない。
格下《かくした》……金城《きんじょう》は格下だ。格下なのになんだ！
こいつのプレッシャーは……‼

さっきまで勝ちほこっていた福富は、もうここにはいない。金城のしつこさに何度も予《よ》想《そう》をくつがえされ、動揺《どうよう》をかくせない。

不安……こそがレースの大敵《たいてき》なのだ。

残《のこ》り四キロの看板《かんばん》をすぎて、先頭は福富。一台分あいて金城がついている。

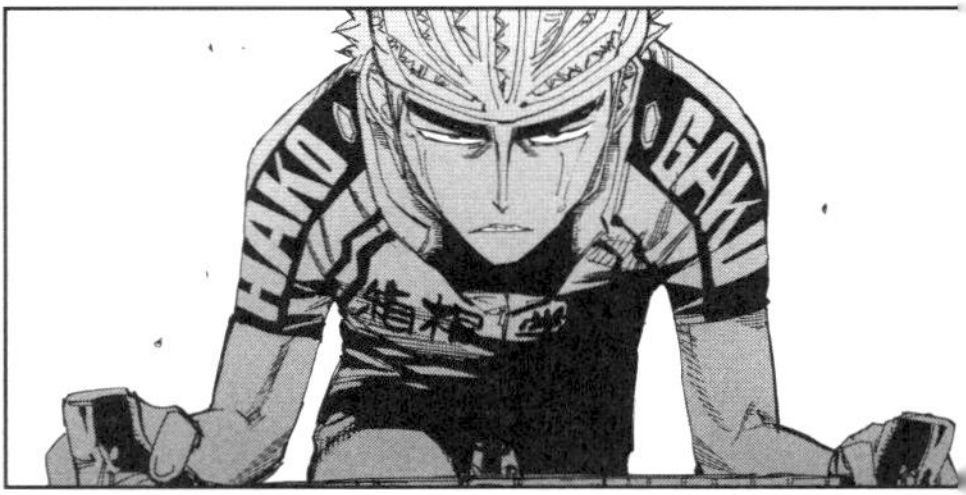

はなしても、はなしても、ヘビのようについてくる金城のせいで、福富はひとり言《ごと》が多くなっている。ぬかされる恐怖心《きょうふしん》に打ち勝つために、自分の心に話しかけているのだ。

いや、プレッシャーは……!!　いや、そんなもの、あるわけがない!!

オレは今まで一人で勝ってきた……戦《たたか》ってきた……。

一対一で負けたことはない。

けちらし、はねのけ、つねにゴールをもぎ取ってきた。

オレがだれかのうしろでゴールすることなんてありえない。

福富は自分が勝つところを脳内《のうない》でイメージした。

そうだ、ゴールには光がある。

そのたくさんの光を、栄光《えいこう》を、オレはだれよりも多くかくとくしてきた。

オレは負けない、オレは強い。

今までもそうだ。これからもそうだ！

見ろ、峠《とうげ》の頂上《ちょうじょう》だ。

あとは下りだ、一気にねじふせる‼

そうして、最後《さいご》のギアチェンジをした……そのしゅんかんに……福富《ふくとみ》の右からなにかかたまりが通りすぎた。金城《きんじょう》の自転車だ。

「なにぃ⁉　金城！
ねらっていたのか、
オレのシフトチェンジのすきをーーーー」

峠の上でついに、トップが入れかわった。

金城がトップに、福富が二番手に。

そして、二台の自転車は坂を下っていく。どんどんスピードが上がり、ついに金城が引きはなす。追いこすのにぜつみょうなタイミングを、うしろからじっとねらっていたのだ。

「きん　じょぉ　　おおおおおおおお！」

痛恨《つうこん》の追いぬきをゆるした福富は、うらみのこもった声でさけんだ。

「オレは、あきらめない、あきらめない男だ‼」と金城は宣言《せんげん》し、福富をつきはなしにかかる。

福富は下りで速度を上げるために、変速《へんそく》。しかし、レバーの操作《さうさ》をミスして、後輪《こうりん》がから回りしてしまった。その分、また差《さ》が広がった。

「し、しまった、シフトミス！　こんなだいじなときに‼」

するはずのないミスをした福富は混乱《こんらん》した。

なにをやっている、オレ……。

オレは強い！　強いんだ‼　待《ま》てぇーーー、金城‼

なんでおまえが先頭《そこ》にいるんだ。

くそ、くそ、くそ、くそ、

その光はオレのものだーーーー。

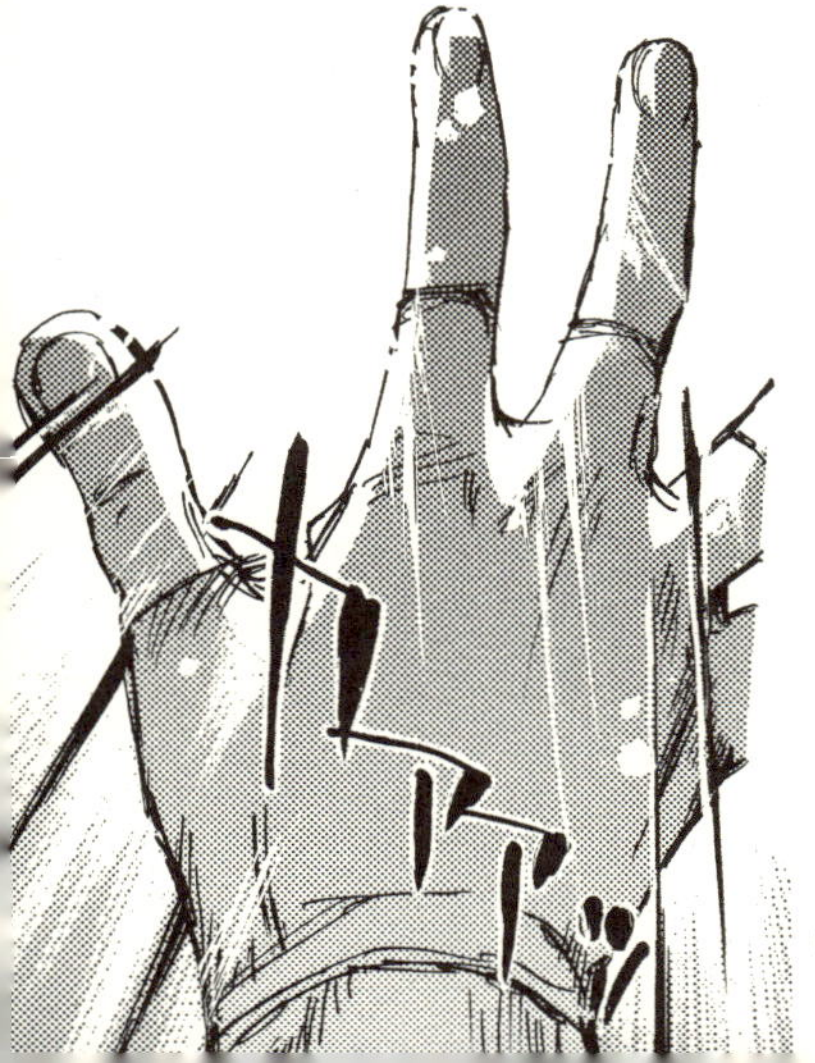

福富《ふくとみ》が思わず前に手をつき出した。栄光《えいこう》をつかもうとするかのようにのびた手は、空《くう》を切らず、前を走る金城《きんじょう》のジャージの背中《せなか》をつかんだ。そしてグイと引っぱった。

下り坂の高速走行中に突然《とつぜん》、ジャージをつかまれた金城はバランスをくずし、自転車は大きくゆらいで、後輪《こうりん》が福富の前輪《ぜんりん》にはげしくぶつかった。

パーン！

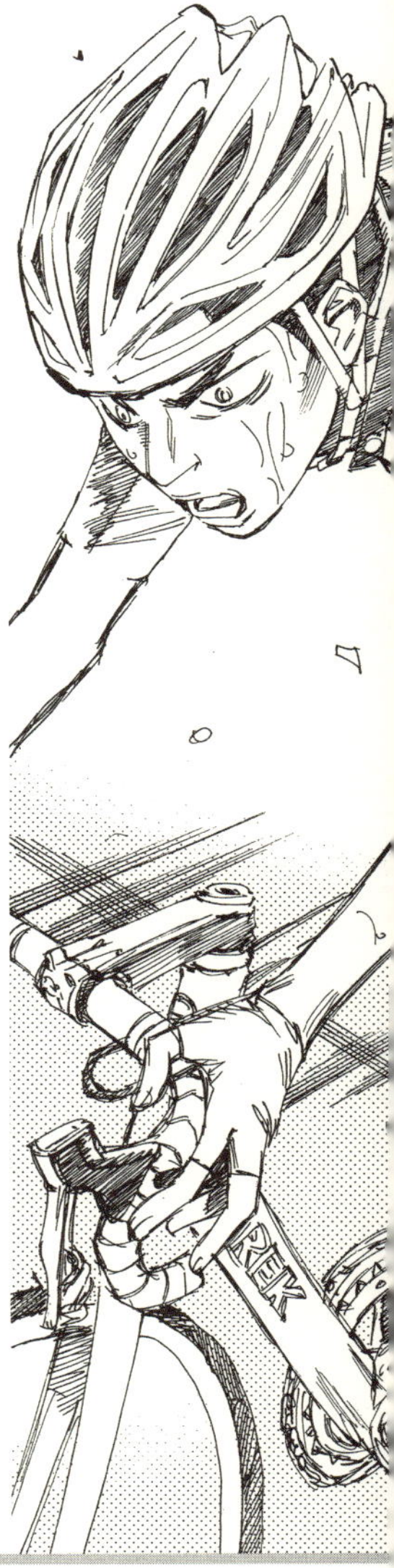

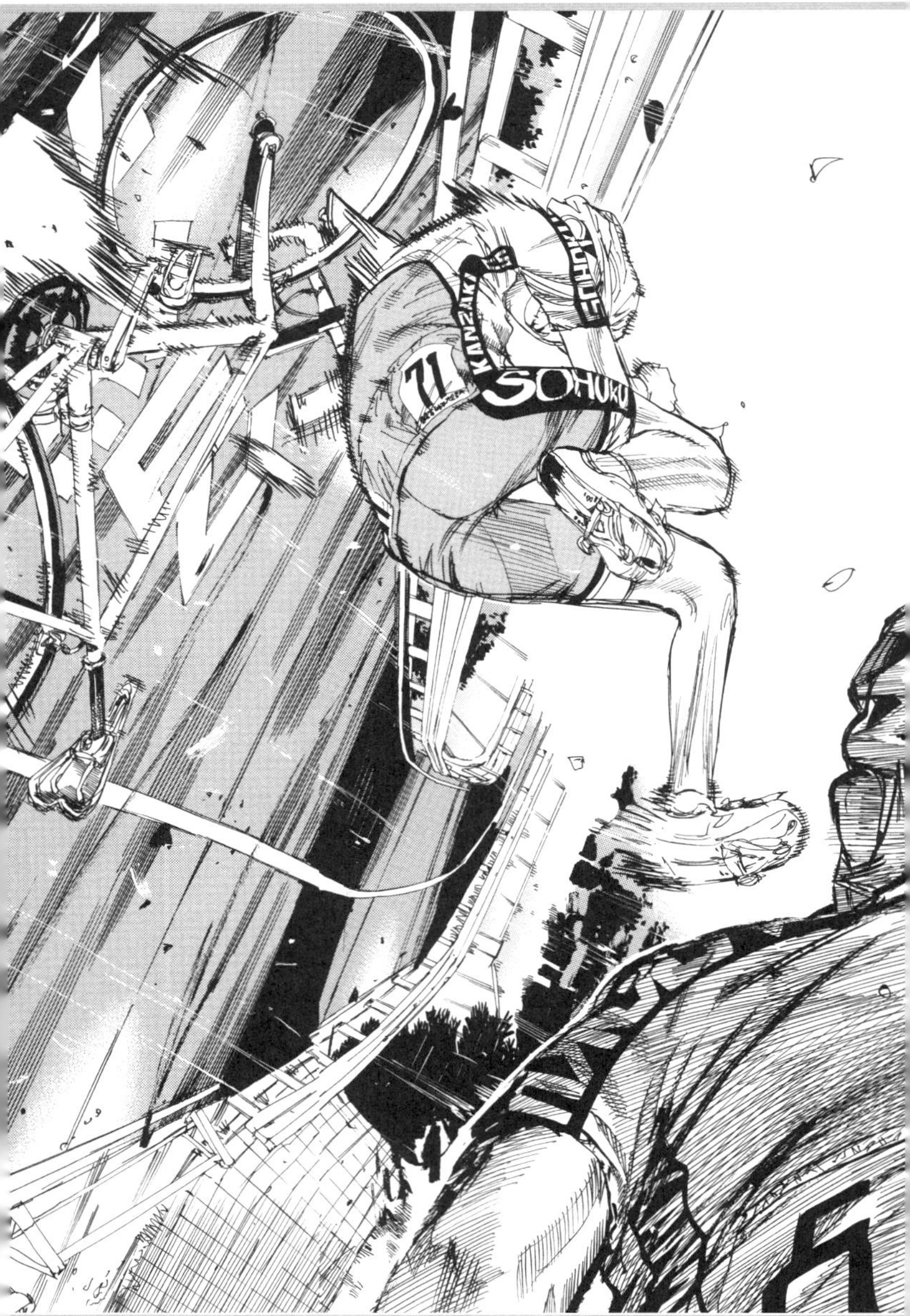
71
KANZAKI
SOHOKU
SOHOKU

二台の自転車は糸の切れたたこのように道路から飛《と》び上がった。

そして、空中でぐるりと一回転した。


「クラッシュだー！」

だれかがさけんだ。

「あぶない！」


ふっ飛ばされた金城《きんじょう》と福富《ふくとみ》がスローモーションのように、空から落ちてくる。

「金城ぉぉぉぉぉおおおお…………
す、す、す、すまない！　オレは……」
なんてことをしてしまったんだ‼
福富は自分のしたことが信《しん》じられなかった。

ドシン！

福富《ふくとみ》はアスファルトにたたきつけられた。

体をまるめた金城《きんじょう》は、ドシャンと音をたてて落ち、ころがり、ガスンッといきおいよくガードレールにぶつかった。

そのあとに、自転車が二台落ちてきて、ガシャン、ガシャンといやな音を立てた。

大事故《だいじこ》だ!!!

金城がぶつかったガードレールは、しょうげきのはげしさのためにゆがんでいた。

福富からは、ピクリとも動かない金城の背中《せなか》が見えている。ヘルメットがぬげている。体は動かない。やがて、ゆっくりと、首が回り、金城が福富をにらんだ。

「金……城……」

生きている！

福富は、自分の体を起こそうとしたが、いたみで立ち上がれない。

ズル、ズル、とガードレールの下から金城がはい出てきた。ふるえながら立ち上がろうとする。右手で左のわき腹《ばら》をおさえている。ひざからは赤い血がどくどくと流れて、道路に血だまりを作っていた。

金城は、たおれた自転車を起こした。

「……オレは……エース……だ」

とぎれとぎれにつぶやくと、自転車にまたがった。

金城の自転車はクラッシュのしょうげきで右半分がこわれていた。

左のろっ骨《こつ》がおれたのか、右手でしっかりとおさえている。そして、あいた左手だけでハンドルをつかみ、下り坂を走り始めた。

「……ぜったいに……あきらめ……ない……」

そのすがたを、福富《ふくとみ》はぼう然《ぜん》と見送るしかなかった。

惨敗《ざんぱい》

インターハイ二日目のレースが終わった。

結果《けっか》は箱根学園《はこねがくえん》のワンツースリーフィニッシュ。

一着から三着までを箱根学園の白いジャージが独占《どくせん》した。福富はリタイアとなったが、全員がエースの箱根学園にそれは関係《かんけい》がなかった。

いたみに顔をしかめながら、金城《きんじょう》は六十九位でゴールした。事故《じこ》のあと、六十八人にぬかれていたのだ。

こぐ力をなくし、自転車をおしてゴールした金城をむかえた田所と巻島《まきしま》はそのボロボロのすがたにおどろいた。

田所は「落車《らくしゃ》か、だいじょうぶか、ケガは!!?」と金城をすぐにだきかかえた。

巻島が「おい、金城……、てっきり前を走っていると思っていたっショ」と言った。

金城は「古賀《こが》をよんでくれ。右のシフターとホイールがこわれた」と声をしぼり出した。

「バカ、自転車はどうにでもなるっショ。そんなことより……」と巻島が金城のケガを心配した。

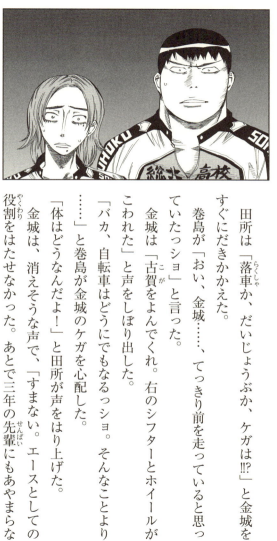

「体はどうなんだよ!」と田所が声をはり上げた。

金城は、消えそうな声で、「すまない。エースとしての役割《やくわり》をはたせなかった。あとで三年の先輩《せんぱい》にもあやまらなけれぱならない」と言った。

田所はすぐにかたをかすと、金城《きんじょう》の体をささえて、チームのテントに向かおうとした。

巻島《まきしま》は金城のこわれた自転車をおしながら、「落車《らくしゃ》はしょうがないっショ!!」と言った。

「た……単独《たんどく》で落車したのか………?」

田所が金城に聞いた。

「そうだ。オレの力不足《ちからぶそく》だ」

「ああああああ!」と田所はバチンと自分の顔をたたいた。

「くそおおおおおおおおおおッ!!!」

「……すまない」と金城は下を向いた。

田所は感情《かんじょう》がばくはつした。

「今年は……今年は頂点《ちょうてん》に行けると思ってよ、死ぬほど練習してよ、死ぬほどペダルを回してよ!!　オチは落車かよ!!」

「本当に……すまない……すまない」

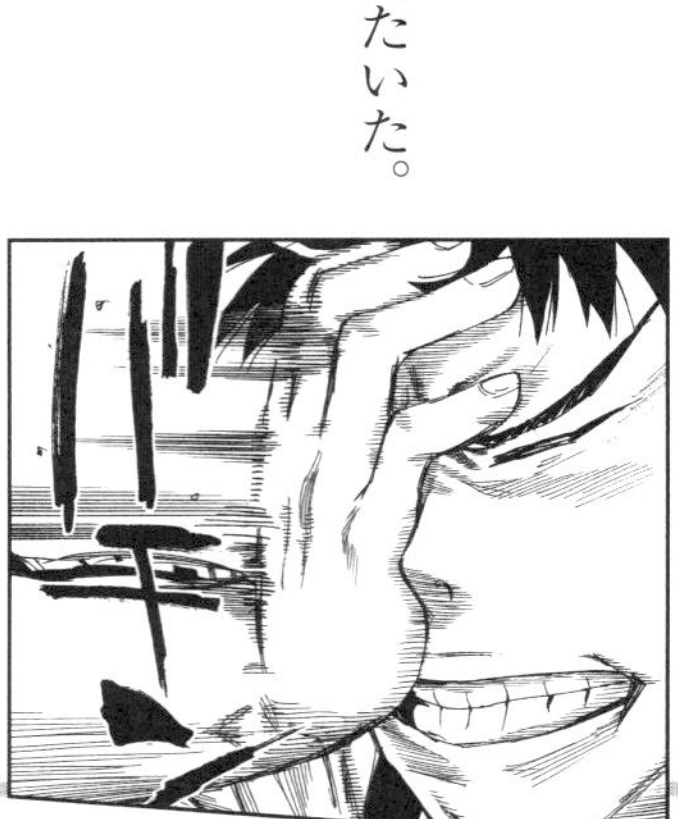

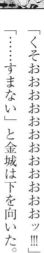

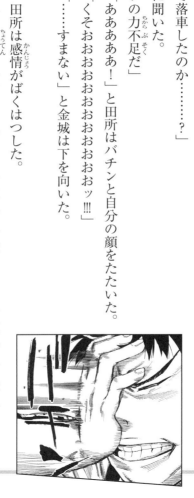

「田所っち、それは言いすぎっショ‼」と巻島が止めに入った。

「ちがう！　オレがジャージを引っぱって落車させた」

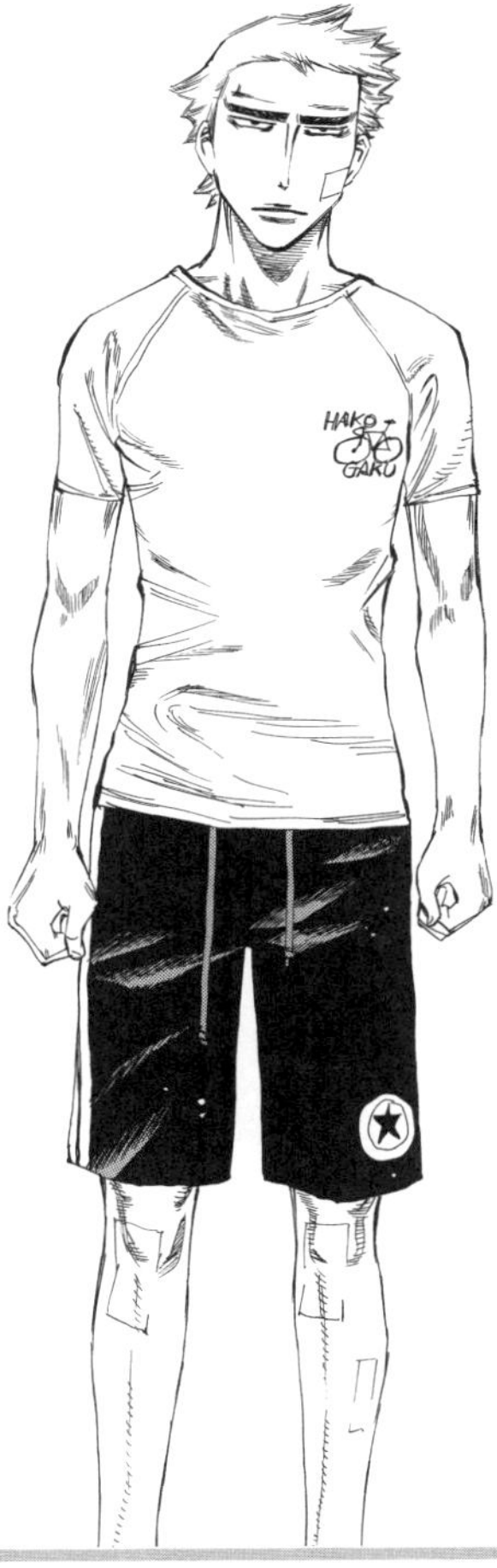

三人の行く手に、ぬっと福富《ふくとみ》があらわれた。
田所と巻島は、いっしゅん、この男がなにを言っているのかわからなかった。
「すまなかった」
福富がデカイ体を半分におりまげて、三人にあやまった。

「て、てめえ、金城《きんじょう》とあらそってた……福富《ふくとみ》……て、ハァ？　どういうことだ！」

田所が気色《けしき》ばんだ。福富は頭を下げたまま説《せつ》明《めい》した。

「すまなかった。たいへんなことをしたと思っている。オレは金城にぬかれて思わず手が出てしまった。

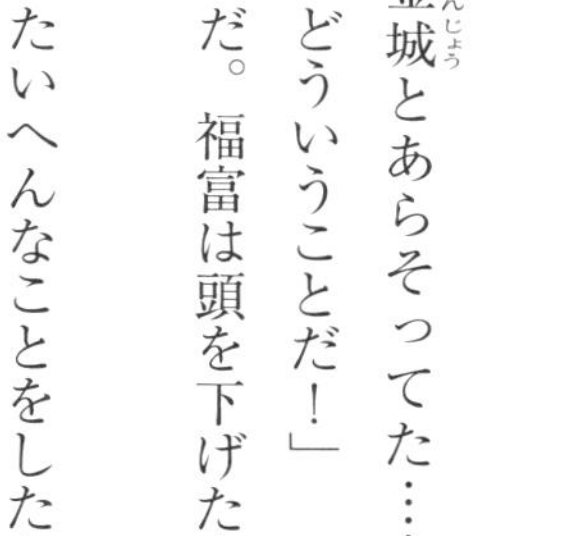

……自分のよわさが原因《げんいん》だ」

あたりはシーンとしずまり返った。重たい空気が流れた。

そのちんもくをやぶるように、「残《のこ》り……、二キロだった……」と福富が言ったと同時に、

「ざけんなよ、てめェごらぁ!!!」と

田所がグーで福富のほおをなぐった。

福富はまともにパンチをくらって
ふっ飛《と》んだ。

「なんだ、ケンカか?」

人が集まってきた。

「すまなかった」

もう一度、福富が言った。

「罪《つみ》ほろぼしではないが……オレは、明日のレースは、きけんするつもりだ」

「関係《かんけい》ねーよ、フザケンナよ‼」

田所がほえた。

「田所っち、やめろ‼」と巻島《まきしま》が止めるのをふりほどいて、
田所はまくし立てた。

「それが箱根学園《ハコガク》のやり方かよ。勝つためならなんでもや

んのかよ。見てねェとこじゃ、そんなキタネぇことをすんのかよ」

田所は福富《ふくとみ》のむなぐらをつかんでいた。

「自転車は回してナンボだろ、車輪《しゃりん》で勝負するんじゃねぇのかよ！」

福富はなみだを流していた。田所もさけびながら、なみだを流していた。

「福富、オレたちは……オレたちはな、エースは一人しかいねぇんだよ。めぐまれた箱根学園《ハコガク》とはちがうんだよ。優勝《ゆうしょう》するために……どんだけ……」

「もういい、田所」
さっきまでだまっていた金城《きんじょう》が、ようやく口を開いた。

「これ以上《いじょう》、なにをやっても、リザルトは変《か》わらない」

それを聞いて田所はがっくりとかたを落とした。

「オレたちがやるべきことは、明日にそなえてバイクを直し、休むことだ」

金城が静《しず》かに言った。

「ま、待《ま》て‼　金城、明日はむちゃだ。そのひどいケガでレースに出るのか？」

福富がおどろいた。

「ロードレースのすべての勝敗《しょうはい》は、道の上で決まる。そして結果《けっか》は、ゴールするまでだれにもわからない‼」

「こ、こいつ……」

福富はびっくりした。

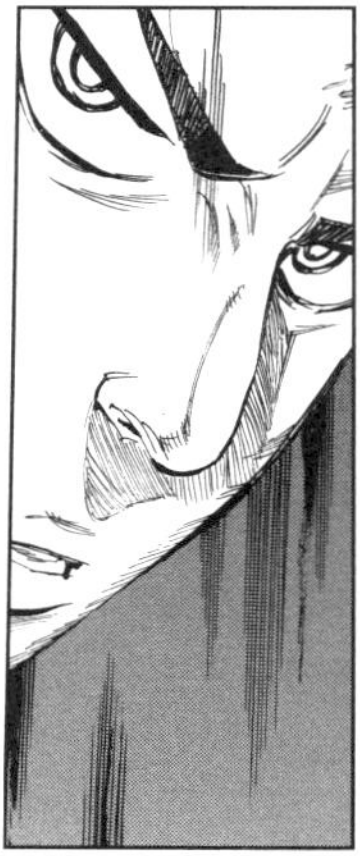

「だったら走るさ。道の上に立って走り出さなきゃ、それは負けと同じだ。ふみ出した一歩は小さくとも、かならず、つみ重なる。たとえ今回、勝ちがなくても、そのとき、ふみ出した一歩は一カ月後か、二カ月後か、半年後か、かならず形になる。だからオレはあきらめない……、たとえ、どれだけの時間がかかろうとも、それが一年後であっても、オレは総北《そうほく》を優勝《ゆうしょう》させるつもりだ!!」
おれたろっ骨《こつ》のいたみにたえながら、金城《きんじょう》はそう宣言《せんげん》した。

強い……こいつ……。
あのとき、感じたプレッシャーは、こいつの、意志《いし》……。
エースとしての意志!!
オレよりはるかに強い……。金城……真護《しんご》。
箱根学園《はこねがくえん》のエース、福富寿一《ふくとみじゅいち》は、ライバルの名前を心にきざんだのだった。

——あれから、一年。

金城は空を見上げながら、思わず左わきをさすった。

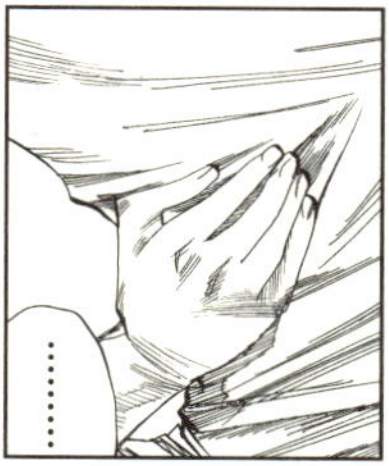

「キズはすっかりいえた。
今年はかならず優勝《ゆうしょう》する。オレたち総北は、強い!!!」

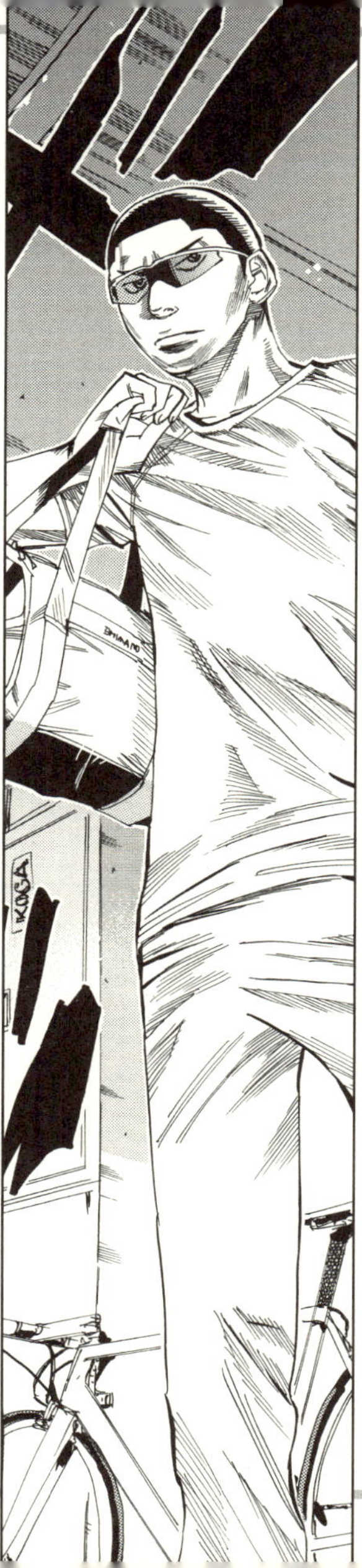

いよいよ、もっとも暑い、わすれられない夏がやってくる——

（続く）

COLUMN

これでキミも自転車通《つう》!

004

登りや下り、コーナーなどによって「ハンドル」のにぎり位置《いち》を変えるのだ!

坂道くんは走っているときに、なんの苦労《くろう》もなく下ハンドルに変えた。下ハンドルはむずかしそうだけど、どんなよさがあるんだろう。仕組みと乗り方のコツを知ったら、キミも自転車通《つう》だ!

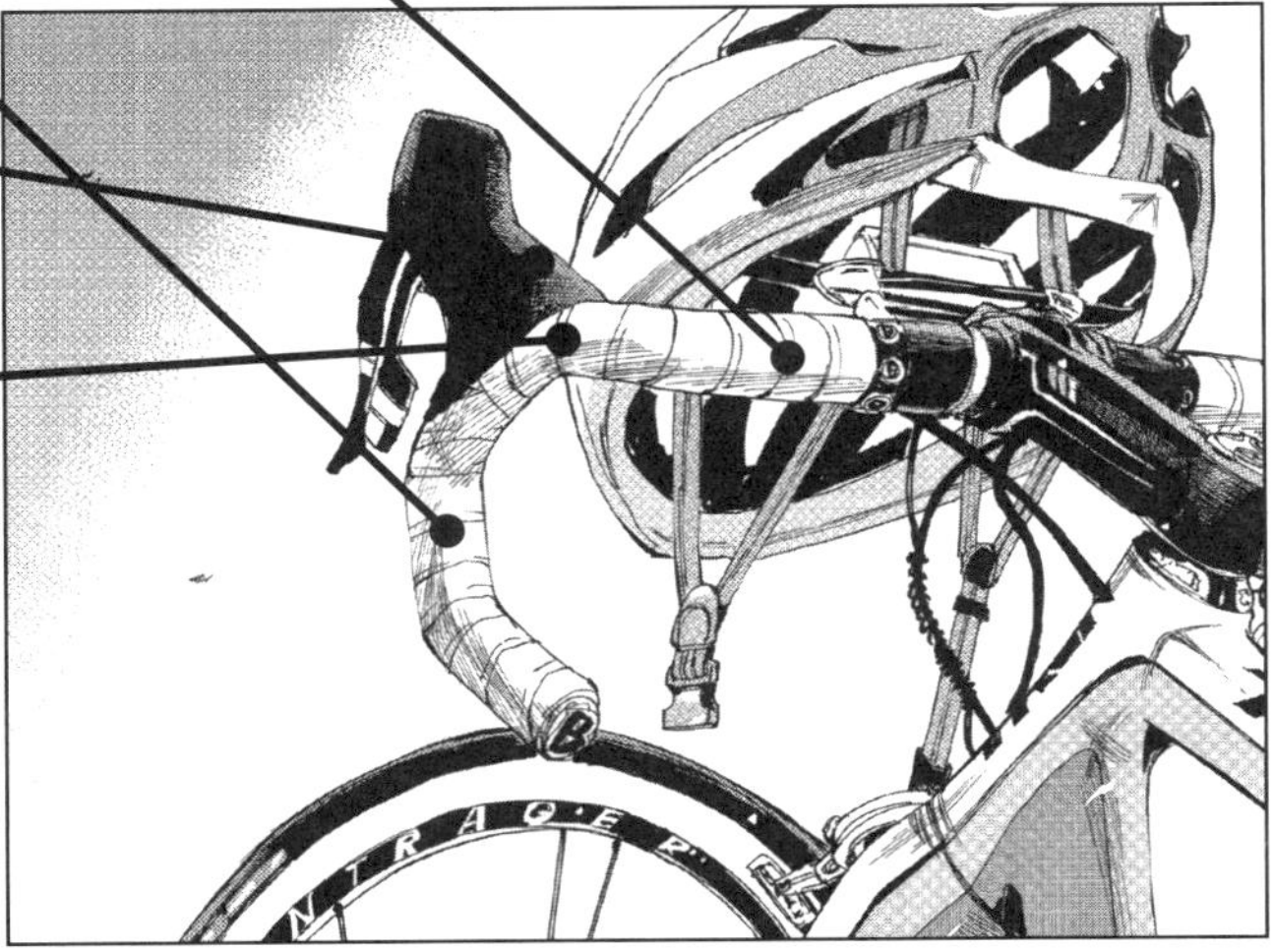

ロードバイクの「ハンドル」は、ただ方向のかじ取りをするだけでない。持つ位置を変えることで、体重を分散《ぶんさん》させて“つかれ”をへらすためにも使うのだ。ドロップハンドルは「フラット」や「ショルダー」など、にぎる場所によって姿勢《しせい》が大きく変わる。走るときの状況《じょうきょう》によって持つ位置を変えてみよう!

上ハンドル／フラット

ドロップハンドルの一番手前の部分で、一文字《いちもんじ》になっているためフラットという。体を起こせるので、酸素《さんそ》を多く取り入れられ、呼吸《こきゅう》がしやすい。坂を登るときや、前傾姿勢《ぜんけいしせい》につかれたときに有効《ゆうこう》なハンドルポジション。合宿《がっしゅく》で鳴子《なるこ》はこのフラットハンドルしか使えず、高速走行ができず、くやしがった。

下ハンドル／ドロップ

ドロップハンドルのにぎる位置で一番力が入るポジション。前傾姿勢になり、重心が下がり、空気抵抗《ていこう》が少なくなり、より高速走行が可能《かのう》に！　一気に加速《かそく》するときにも使える。ただし、ブレーキレバーや変速《へんそく》レバーから指がとどきにくくなるので注意。合宿の「二年生対一年生」対決の最後《さいご》の直線では、鳴子《なるこ》以外《いがい》全員、下ハンドルににぎりかえた。

ブラケット

ハンドルに取りつけた、シフトレバーの取りつけ金具のことをブラケットとよぶ。ロードバイクに乗るときに一番多くにぎる。きほんの手の位置はここ！　人さし指と中指をレバーにかけておくことが多い。

ショルダー

ブラケットの少し手前の角《かど》の部分《ぶぶん》のこと。巡航《じゅんこう》(※同じ速度でずっと走り続けること)するときに使われやすい。体もラクでレバーにもとどきやすい、“いいとこ取り”のポジション。リラックスして走るならここ！

下ハンドルはむずかしい？

坂道はさっとできたが、初心者《しょしんしゃ》には下ハンドルが苦手《にがて》という人は多い。コツは、重心をうしろの車輪《しゃりん》にのせること。最初《さいしょ》はほとんどの人がこわくかんじるが、重心が下がるためにかえってマシンをそうさしやすい利点もある。ブレーキレバーは多少、とどきにくくなるが、レバーのはしに指がかかるので、これもかえってききやすくなる。そのため、下り坂でうまく使うと効果的《こうかてき》。いろいろとためして練習してみよう。自動車や通行人にはくれぐれも注意してね！

[原作者]
渡辺 航（わたなべ　わたる）
漫画家。長崎県出身。MTBやロードバイクなど自転車をこよなく愛し、『弱虫ペダル』の連載を続けながら、多くのアマチュア自転車レースに参戦している。

[ノベライズ]
輔老 心（すけたけ　しん）
フリーランスライター。兵庫県出身。『スーパーパティシエ物語』『いやし犬まるこ』（いずれも岩崎書店）など著書多数。

AD　山田 武　　協力　渡邊まゆみ
編集協力　秋田書店

フォア文庫

小説《しょうせつ》 弱虫《よわむし》ペダル4

2020年10月31日　第1刷発行
2022年 1 月15日　第2刷発行
原作者　渡辺 航
ノベライズ　輔老 心
発行者　小松崎敬子
発行所　株式会社 岩崎書店
〒112-0005 東京都文京区水道1-9-2
電話　03-3812-9131（営業）　03-3813-5526（編集）
00170-5-96822（振替）
印刷・製本所　三美印刷株式会社

ISBN978-4-265-06574-5　NDC913　173×113

Published by IWASAKI Publishing Co.,Ltd.
Printed in Japan

岩崎書店ホームページ　https://www.iwasakishoten.co.jp
ご意見をお寄せください　info@iwasakishoten.co.jp